Martin Blümcke/Norbert Kustos

# Baden-Württemberg

Baden-Württemberg/Le Bade-Wurtemberg

Ellert & Richter Verlag

# Impressum

**Martin Blümcke**
geb. 1935, studierte in Tübingen Deutsch, Geschichte
und Volkskunde und arbeitete als Hörfunkredakteur
beim Süddeutschen Rundfunk in Stuttgart. Länger als
ein Vierteljahrhundert leitete er die Redaktion „Land
und Leute" und erwarb sich einen umfassenden
Überblick über den deutschen Südwesten. Auch als lan-
deskundlicher Autor hat er sich einen Namen gemacht.

**Norbert Kustos**
geb. 1957 in Lahr; nach dem Studium der Germanistik
und Geschichte intensive Beschäftigung mit der Foto-
grafie. Er arbeitet als freischaffender Bildjournalist in
Karlsruhe. Veröffentlichungen u. a. bei GEO-Frankreich,
GEO-SAISON, GLOBO sowie in diversen Kalenderpubli-
kationen. Im Ellert & Richter Verlag erschienen von ihm
die Bildreisen „Bretagne", „Schwarzwald", „Der Neckar",
„Schönes Baden-Württemberg" und „Der Bodensee" sowie der Bildband „Toskana".

Bildnachweis/Photo credits/Index du photographies
Fotos/Photos/Photographie: Norbert Kustos, Malsch
außer/besides/sauf
Archiv für Kunst und Geschichte, Berlin: S. 14 l., 14 r.,
18 l., 18 r., 21 l., 21 r., 22 l., 31, 46
Bildarchiv Preußischer Kulturbesitz, Berlin: S. 12 l.,
12 m., 19 r., 20, 22/23, 23, 36 l., 40
Bilderdienst Süddeutscher Verlag, München: S. 6/7, 8, 9,
10 l., 10 r., 15 l., 15 r., 19 l., 25, 36 r. 39, 41 l., 41 r.
Otto Stadler, Geisenhausen: S. 122
Karte S. 152: Archiv Ellert & Richter Verlag, Hamburg
Karte S. 12 r.: Abbildung aus Politik & Unterricht;
Zeitschrift für die Praxis der politischen Bildung, Lan-
deszentrale für politische Bildung Baden-Württemberg,
Ausg. 1/2001, S. 45

Titelabbildung:
Fachwerkhäuser prägen das Stadtbild von Schwäbisch
Hall am Kocher

Die Deutsche Bibliothek – CIP-Einheitsaufnahme

Baden-Württemberg = Le Bade-Wurtemberg / Martin
Blümcke (Text) ; Norbert Kustos (Fotos). – 1. Aufl.. –
Hamburg : Ellert und Richter, 2002
ISBN 3-8319-0028-0

© Ellert & Richter Verlag GmbH, Hamburg 2002

Text und Bildlegenden/Text and Captions/Textes et lé-
gendes: Martin Blümcke, Laufenburg
Übersetzung ins Englische/English translation/Traduc-
tion anglaise: Paul Bewicke, Hamburg
Übersetzung ins Französische/French translation/
Traduction française: Claudie Gratias-Schmidt, Hamburg
Karte/Map/Carte géographique: Archiv Ellert & Richter
Lektorat/Editor/Lectorat: Inga Klingner, Hamburg
Gestaltung/Design/Maquette: Büro Brückner + Partner,
Bremen
Satz/Typesetting/Composition: KCS GmbH,
Buchholz/Hamburg
Lithographie/Lithography/Lithographie: Lithographi-
sche Werkstätten Kiel, J & A Ratjen
Druck/Printers/Impression: Girzig + Gottschalk, Bre-
men
Bindung/Binding/Reliure: Buchbinderei S. R. Büge
GmbH, Celle

# Inhalt/Contents/Sommaire

# Grußwort

Die Hoffnungen, die die Menschen 1952 in den Zusammenschluß der drei Länder Württemberg-Baden, Württemberg-Hohenzollern und Baden setzten, haben sich erfüllt. Durch den Einsatz und das Engagement aller Baden-Württembergerinnen und Baden-Württemberger entwickelte sich das Land zu einer der führenden Regionen Europas. Dabei verfügt Baden-Württemberg über keine nennenswerten Bodenschätze. Die Quellen unseres Wohlstandes sind geistiger Natur: Kreativität, Mitmenschlichkeit, Verantwortungsbewußtsein und Schaffenskraft. Baden-Württemberg ist ein Innovationsland. Gleichzeitig ist es uns gelungen, die wirtschaftliche Leistungsstärke mit hoher Lebensqualität zu verbinden. Baden-Württemberg hat seinen Besuchern viel zu bieten. Seine landschaftliche Schönheit, die zahlreichen historischen Ortskerne, das reichhaltige kulturelle Angebot, seine hochwertige Gastronomie – nirgendwo in Deutschland gibt es so viele preisgekrönte Restaurants – und vor allem aber die Gastfreundschaft seiner Bewohner laden immer wieder zu neuen Entdeckungen ein.

# Greeting

The hopes people placed in the 1952 merger of the three states of Württemberg-Baden, Württemberg-Hohenzollern and Baden have been fulfilled. By dint of the hard work and commitment of all Baden-Württembergers, the state has developed into one of Europe's leading regions.
Yet Baden-Württemberg has no natural resources worth mentioning. The sources of our prosperity are intellectual in nature: creativity, humanity, responsibility and sheer hard work. Baden-Württemberg is an innovative state. At the same time we have succeeded in combining economic clout and a high quality of life.
Baden-Württemberg has much to offer visitors. Its beautiful countryside, numerous historic towns and city centres, wide range of cultural offerings and quality restaurant trade – nowhere else Germany has so many prize-winning restaurants. Above all, the hospitality of its people is a constant invitation to make new discoveries.

# Message de bienvenue

Ce que les habitants avaient espéré en 1952 lors de la fusion des trois états – le Wurtemberg-Bade, le Wurtemberg-Hohenzollern et la Bade – s'est réalisé à leur entière satisfaction. Le Land s'est développé grâce à l'esprit d'initiative et à l'engagement de tous les Badois et de tous les Wurtembergeois pour devenir l'une des premières régions d'Europe.
Et pourtant le Bade-Wurtemberg ne dispose pas de richesses minières considérables. Sa prospérité se fonde sur des valeurs immatérielles: créativité, esprit d'équipe, sens des responsabilités et ardeur au travail. Le Bade-Wurtemberg est une région innovatrice. Il a également réussi à allier sa performance économique à une qualité de vie élevée.
Le Bade-Wurtemberg a beaucoup à offrir à ses visiteurs. La beauté de ses paysages, un grand nombre de centres historiques, une gamme riche et variée de manifestations culturelles, une gastronomie haut de gamme – on ne trouve nulle part ailleurs en Allemagne autant de restaurants auxquels ont été attribuées des étoiles – et surtout l'hospitalité de ses habitants invitent sans cesse à partir à la découverte de ce Land.

Martin Blümcke, ein ausgewiesener Kenner der baden-württembergischen Landschaft und seiner Geschichte, führt kenntnisreich durch die verschiedenen Regionen, zu großen Sehenswürdigkeiten ebenso wie zu zahlreichen versteckten Kleinodien. Norbert Kustos ermöglicht durch seine einfühlsamen Aufnahmen, selbst bekannte Motive neu zu erfahren. Lassen Sie sich durch das Buch anregen. Ein Besuch in Baden-Württemberg lohnt sich immer, genießen Sie das Land mit allen Sinnen: die Natur, die Gastfreundschaft, die kulturellen Sehenswürdigkeiten und seine kulinarischen Spezialitäten.

Ich freue mich über Ihr Interesse an unserem Land und wünsche Ihnen viel Vergnügen beim Lesen.

*Erwin Teufel*
Erwin Teufel
Ministerpräsident
von Baden-Württemberg

Martin Blümcke, a proven connoisseur of Baden-Württemberg's countryside and history, takes you knowledgeably on a tour of the state's various regions, including both major sights and numerous lesser-known gems. Norbert Kustos with his sensitive photographer's eye takes a new look at even well-known motifs.

Let this book serve as a taster. A visit to Baden-Württemberg is always worthwhile. Enjoy the state with all your senses – its nature and hospitality, its cultural sights and culinary specialities.

I am delighted that you are interested in our state and wish you pleasure in reading about it.

Martin Blümcke, grand connaisseur de la région du Bade-Wurtemberg et de son histoire, nous fait découvrir, grâce à son savoir approfondi, des régions différentes, et nous guide vers des curiosités connues mais aussi vers de nombreux petits paradis cachés. Les photographies d'une grande sensibilité de Norbert Kustos nous présentent, sous un angle nouveau, même des motifs connus.

Que ce livre vous incite à visiter le Bade-Wurtemberg: il mérite bien une visite. Découvrez ce pays avec tous vos sens et profitez de sa nature, de l'hospitalité de ses habitants, de ses attractions culturelles et de ses spécialités culinaires.

Je me réjouis de l'intérêt que vous portez à notre Land et vous souhaite beaucoup de plaisir à la lecture de ce livre.

Am 19. 11. 1953 wurde aus der Verfassunggebenden Landesversammlung der erste Landtag von Baden-Württemberg, Ministerpräsident Dr. Gebhard Müller (ganz rechts) und sein Kabinett werden vereidigt.

On 19 November 1953, the constitutional assembly became Baden-Württemberg's first state assembly. The state president is here seen swearing in the new prime minister, Dr Gebhard Müller (far right), and his cabinet.

L'Assemblée constituante du Land est devenue le 19 novembre 1953 la première diète provinciale du Bade-Wurtemberg. Le président du Land assermente le nouveau ministre-président Dr. Gebhard Müller (à l'extrême droite) et son cabinet.

Baden-Württemberg:
ein Glücksfall der Geschichte

Baden-Württemberg:
an historic stroke of luck

Le Bade-Wurtemberg:
une chance historique

Stuttgart im Frühjahr 1952. Zwar gibt es keine Trümmerberge mehr, doch die Baulücken und Brandruinen, die die Luftangriffe im Zweiten Weltkrieg verursacht haben, sind unübersehbar. Die Bevölkerung leidet unter Wohnungsnot und anderen Mängeln, aber satt werden kann mittlerweile wieder jeder.

Seit drei Jahren besteht die Bundesrepublik Deutschland, die allerdings noch von den Hochkommissaren der westlichen Besatzungsmächte kontrolliert wird. Da das Gebäude des württembergischen Landtags zerstört ist, treffen sich die 121 Abgeordneten der Verfassunggebenden Landesversammlung für den Südweststaat in einem Theatersaal in der Stuttgarter In-

In Spring 1952, mountains of rubble no longer lined the streets of Stuttgart, but there was no mistaking the gaps and charred ruins that World War II had left behind. Housing was in short supply and people suffered from scarcities of other kinds, but by then everyone was able to eat their fill once more.

The Federal Republic of Germany had been in existence for three years, albeit still under the control of high commissioners representing the three Western occupying powers. As the Württemberg state assembly building lay in ruins, the 121 members of the constitutional assembly for the south-western state met in a city-centre theatre auditorium. To the annoyance of the largest group in the assembly, the Christian Democrats, a majority of Social Democrats, Liberals and Expellees elected Reinhold Maier, a Free Democrat, as state premier.

Maier, a lawyer by training, promptly took to the rostrum and established facts with the following words: "In accordance with §14, par. 2, the time of formation of the provisional government is set at this moment, Friday, 25 April 1952, 12.30 hours." As if to prove his point, Maier took his gold watch out of his waistcoat pocket and looked at the dial. "By virtue of this declaration and in accordance with §11 of the Federal Republic's second Restructuring Act, the

Stuttgart au printemps de l'année 1952. Les amas de décombres ont certes disparu mais on ne peut pas passer sans les voir devant les terrains vagues et les restes calcinés des bâtiments détruits au cours des bombardements de la Seconde Guerre mondiale. La population souffre du manque de logements et d'autres pénuries, mais tout du moins chacun peut maintenant manger à sa faim.

La République fédérale d'Allemagne existe depuis trois ans bien qu'étant encore contrôlée par les hauts-commissaires des puissances occidentales d'occupation. Le bâtiment de la diète du Wurtemberg étant détruit, les 121 députés de l'Assemblée constituante de cet Etat du sud-ouest se réunissent dans une salle de théâtre du centre ville de Stuttgart. Au grand déplaisir du plus grand groupe parlementaire des chrétiens-démocrates, une majorité constituée de sociaux-démocrates, de libéraux et d'expulsés de l'est élisent comme ministre- président Reinhold Maier, membre du parti libéral.

Aussitôt élu, ce juriste de formation monte à la tribune de l'Assemblée des députés et crée un fait accompli en prononçant les mots suivants: «En vertu de l'article 14 paragraphe 2, la date de la formation du gouvernement provisoire est fixée à l'instant présent, à savoir au vendredi 25 avril 1952 à 12 heures 30». Comme pour en don-

Am 9. März 1952 wurde die Verfassunggebende Landesversammlung gewählt.

On 9 March 1952, voters went to the polls to elect a
constitutional assembly.

Les électeurs ont été invités le 9 mars 1952 pour élire
l'Assemblée constituante.

nenstadt. Zum Ärger der zahlen-
mäßig stärksten Fraktion der
Christdemokraten wählt eine
Mehrheit aus Sozialdemokraten, Li-
beralen und Heimatvertriebenen
den Freidemokraten Reinhold Maier zum Ministerpräsidenten.

Unmittelbar danach tritt der ge-
lernte Jurist vor die Volksvertreter
und schafft mit folgenden Worten
Fakten: „Gemäß §14 Absatz 2 wird
hiermit der Zeitpunkt der Bildung
der vorläufigen Regierung auf den
gegenwärtigen Augenblick, näm-
lich auf Freitag, den 25. April 1952,
12 Uhr 30 Minuten, festgestellt."
Wie zum Beweis zieht dabei der
Politiker seine goldene Taschenuhr
aus der Westentasche und schaut
auf das Zifferblatt. „Mit dieser Er-
klärung sind gemäß §11 des zweiten Neugliederungsgesetzes der
Bundesrepublik die Länder Baden,
Württemberg-Baden und Württem-

states of Baden, Württemberg-
Baden and Baden-Hohenzollern are
united. Ladies and gentlemen, God
save this new federal state."

## The birth of a new federal state

That day, dubbed "Black Friday" by
the Christian Democrats, was, as
they saw it, the unlucky time of
birth of a German federal state that
was soon to prove an "historic
stroke of luck" both culturally and
economically. Baden-Württemberg,
its official name since Autumn
1953, is the only state to have been
restructured, and restructured successfully, in the Federal Republic
even though the statutory option
was held open to all. "Black Friday"
was preceded by four years of ar-
gument between the three state
governments over whether or not
to merge, with the "Altbadeners"

ner la preuve, cet homme politique
sort sa montre de gousset en or et
jette un coup d'oeil sur le cadran.
«En vertu de cette déclaration,
conformément à l'article 11 de la
deuxième loi relative à la restructuration de la République fédérale
d'Allemagne, les Länder Bade, Wurtemberg-Bade et Wurtemberg-Hohenzollern sont réunis en un seul
Etat fédéré. Mesdames et Mes-
sieurs, que Dieu protège ce nouvel
Etat fédéré».

## La naissance d'un Land

Cette journée malencontreuse,
qualifiée par les chrétiens-démocrates de «vendredi noir», marqua
la naissance d'un Land pour qui il
s'avéra que c'était un «coup de
chance historique», tant du point
de vue culturel qu'économique. Le
Bade-Wurtemberg, ainsi que se
nomme officiellement cette province depuis l'automne 1953,
constitue la seule restructuration
réussie des Länder de la République fédérale d'Allemagne, bien
que le législateur ait conçu cette
possibilité pour le cas général.
Quatre ans d'âpre lutte, au cours
desquels les trois gouvernements
des anciens Länder avaient débattu
le pour et le contre d'une telle fusion, ainsi qu'une compagne élec-
torale menée avec acharnement
par les deux partis avaient précédé
ce «vendredi noir»: les vieux partisans de la Bade regroupés autour

9

berg-Hohenzollern zu einem Bundesland vereinigt. Meine Frauen und Männer: Gott schütze dieses neue Bundesland."

## Die Geburtsstunde eines Bundeslandes

Der 25. April 1952, von den Christdemokraten als „Schwarzer Freitag" bezeichnet, war die unglückliche Geburtsstunde eines Bundeslandes, das sich rasch als ein „Glücksfall der Geschichte" herausstellen sollte, kulturell und wirtschaftlich. Baden-Württemberg, wie das Land seit Herbst 1953 offiziell heißt, ist die einzige und zudem gelungene Neuordnung der Länder in der Bundesrepublik, obwohl der Gesetzgeber diese Möglichkeit ganz allgemein bereitgehalten hat. Dem „Schwarzen Freitag"

around Leo Wohleb lined up against the supporters of a southwestern state around Reinhold Maier and Gebhard Müller, and the state premier in Freiburg thus opposing the state premiers in Stuttgart and Tübingen.

On 25 April 1952, three states set up during the Allied post-war occupation of Germany were merged, but in reality they were two: the former states of Baden and Württemberg that Napoleon had created in the early nineteenth century with a view to ensuring that France's immediate neighbours were smaller, medium-sized states. Baden extends from the River Main and the Odenwald in the north via the Kraichgau and the Black Forest to Lake Constance in the south, with the Rhine, 437 kilometres of which, from Konstanz to

de Leo Wohleb faisant face aux partisans de l'Etat du sud-ouest menés par Reinhold Maier et Gebhard Müller, le ministre-président à Fribourg s'opposant aux ministres-présidents à Stuttgart et Tübingen.

Le 25 avril 1952, trois Länder issus de la période d'occupation furent réunis, ce qui revenait en fait à réunir les anciens Etats de Bade et de Wurtemberg comme l'avait décrété Napoléon au début du XIXe siècle, afin de constituer des Etats de taille moyenne dans le glacis de la France. La Bade s'étend du Main et de l'Odenwald au nord jusqu'au lac de Constance en passant par le Kraichgau et la Forêt-Noire, le Rhin – ce fleuve qui baigne le Land sur 437 kilomètres de Constance à Mannheim – formant la frontière naturelle avec la France et la Suisse. Les mauvaises langues ont comparé la Bade à un boudin noir en raison de l'isthme en son milieu, aux environs de Rastatt, tandis que d'autres ont préféré parler de la taille du pays badois en évoquant ce goulot d'étranglement de moins de 20 kilomètres. A cet endroit, le Wurtemberg avait de vieilles possessions au-delà de la crête de la Forêt-Noire. Ceci mis à part, sa configuration sur la carte géographique est plutôt de forme compacte rejoignant au nord le Taubergrund près de Bad Mergentheim et ayant au sud des contreforts jusqu'au lac de Constance près de Friedrichshafen.

vorausgegangen war ein vier Jahre andauerndes Ringen der drei Regierungen um einen (oder keinen) Zusammenschluß sowie ein von beiden Seiten erbittert geführter Wahlkampf: Altbadener um Leo Wohleb gegen die Befürworter des Südweststaates um Reinhold Maier und Gebhard Müller, der Ministerpräsident in Freiburg gegen die Ministerpräsidenten in Stuttgart und Tübingen.

Am 25. April 1952 wurden drei Länder der Besatzungszeit zusammengefügt, eigentlich jedoch die ehemaligen Staaten Baden und Württemberg, deren Zusammenschluß Napoleon zu Beginn des 19. Jahrhunderts diktiert hatte, um im Vorfeld Frankreichs kleinere Mittelstaaten zu haben. Baden reicht vom Main und Odenwald im Norden über den Kraichgau und den Schwarzwald bis an den Bodensee, wobei der Rhein – von Konstanz bis Mannheim hat das Land 437 Kilometer Anteil an diesem Strom – die natürliche Grenze zu Frankreich und der Schweiz bildet. Man hat Baden wegen der schmalen Landbrücke in der Mitte bei Rastatt boshafterweise mit einer Blutwurst verglichen, auch wenn manche angesichts der Einschnürung von weniger als 20 Kilometern lieber von der „Taille" des badischen Landes gesprochen haben. An dieser Stelle hat Württemberg über den Schwarzwaldkamm hinweg alten Besitz. Sonst

Mannheim, form a natural border with France and Switzerland. On account of the narrow land bridge in its midriff near Rastatt, Baden has maliciously been compared with a blood sausage, although some refer to this lace-up less than 20 kilometres in width as the state's waistline. At this point Württemberg has long held territory that crosses the ridge of the Black Forest. Otherwise, Württemberg's shape on the map looks fairly compact, extending from Bad Mergentheim and the Taubergrund in the north to Lake Constance and Friedrichshafen in the south.

Together, the two complement each other like gigantic jigsaw puzzle pieces to make up a slightly vertical rectangle roughly 300 kilometres long and 200 kilometres wide. With a surface area of 35,752 square kilometres, Baden-Württemberg is the Federal Republic of Germany's third-largest state in size after Bavaria and Lower Saxony. It is also a European region larger than Belgium and only slightly smaller than its southern neighbour Switzerland. Today, Baden-Württemberg has 10.5 million inhabitants, including 12% foreign residents. What has emerged in south-western Germany is a territorial, cultural and economic powerhouse that has been well able to make its presence felt nationally, first in Bonn and now in Berlin.

Ces deux surfaces se complètent comme deux éléments gigantesques d'un même puzzle pour former un rectangle qui se redresserait légèrement vers le haut, d'une longueur d'environ 300 kilomètres et d'une largeur de 200 kilomètres. S'étendant sur une surface de 35 752 kilomètres carrés, le Bade-Wurtemberg est, après la Bavière et la Basse-Saxe, la troisième province allemande par ordre de grandeur. Devenu une région européenne, il est plus étendu que la Belgique et à peine plus petit que la Suisse, sa voisine au sud. Aujourd'hui le Bade-Wurtemberg a 10,5 millions d'habitants, dont 12 pour cent d'étrangers: une entité de poids au plan territorial, culturel et économique a pris naissance dans le sud-ouest de l'Allemagne et sait fort bien jeter son poids dans la balance à Bonn dans le passé ou à Berlin aujourd'hui.

Trois lions noirs s'avançant sur un blason doré, telle est la description héraldique correcte des armoiries du pays. On dut remonter très loin dans l'Histoire pour ne pas avoir recours au blason de la Bade présentant une bande diagonale rouge sur fond doré, ou à une partie du bois de cerf du Wurtemberg. Au haut Moyen-Age, les Hohenstaufen, ducs de Souabe, province qui englobait bien les deux tiers du Land actuel, firent peindre sur leurs blasons et inciser sur leurs sceaux cette marque de reconnais-

Wappen des Großherzogtums Baden: ein roter Schrägbalken auf goldenem Grund.

Coat of arms of the grand-duchy of Baden: a red diagonal fess on a golden background.

Les armoiries du grand-duché de Bade, dorées à bande gueules.

Wappen des Königreichs Württemberg mit Hirschstangen und Löwen auf goldenem Untergrund.

Coat of arms of the kingdom of Württemberg with black stag's antlers and Lions.

Les armoiries du royaume du Wurtemberg avec les branches de cerf noires et les lions sur un écu d'or.

Das Landeswappen zeigt drei Löwen und wird von einem Greif und einem Hirsch gestützt.

The state coat of arms features three lions and is supported by a gryphon and a stag.

Les armoiries du Land montrent trois lions, un cerf et un griffon fabuleux.

GROSSHERZOGTUM BADEN

KÖNIGREICH WÜRTTEMBERG

ähnelt seine Form auf der Landkarte eher einer kompakten Fläche, die im Norden bei Bad Mergentheim den Taubergrund erreicht und im Süden einen Ausläufer bis zum Bodensee mit Friedrichshafen besitzt.

Beide Flächen zusammen ergänzen sich wie zwei riesige Puzzlestücke zu einem leicht nach oben gestellten Rechteck mit einer Höhe von ca. 300 Kilometern und einer Breite von ca. 200 Kilometern. Mit einer Ausdehnung von 35 752 Quadratkilometern ist Baden-Württemberg nach Bayern und Niedersachsen der drittgrößte bundesdeutsche Flächenstaat, eine europäische Region, größer als Belgien und nur wenig kleiner als die im Süden benachbarte Schweiz. Heute hat Baden-Württemberg 10,5 Millionen Einwohner – davon sind 12 Prozent Ausländer. Im Südwesten Deutschlands ist ein territoriales, kulturelles und wirtschaftliches Kraftpaket entstanden, das früher in Bonn, jetzt in Berlin

Three black lions passant on a golden background is the heraldically correct description of the state's coat of arms. You have to go a long way back in history to avoid using the Baden coat of arms (red horizontal stripes on a golden background) or the Württemberg deer's antlers. In the late Middle Ages the Staufen dynasty as dukes of Swabia, which covered over two thirds of the present state's territory, painted this sign on its shields (continuing to use it as kings and emperors) and had it engraved on its seals.

### Allies divide the south-west into three

To look back at the end of World War II, however, in Spring 1945 British, US and French forces were heading for the Rhine. Together with the Russians, the Western Allies had already agreed on their subsequent occupation zones. France was to be allocated the

sance, qu'ils arboraient également en tant que rois et empereurs.

### La partition en trois du Sud-Ouest par les Alliés

Jetons encore un coup d'oeil rétrospectif à la fin de la Seconde Guerre mondiale. Au printemps 1945, les Anglais, les Américains et les Français progressaient en direction du Rhin. En accord avec les Russes, les alliés occidentaux avaient déjà convenu de leurs futures zones d'occupation respectives, la France devant se voir attribuer la Rhénanie-Palatinat, la Hesse rhénane et certains territoires des pays rhénans appartenant à la Prusse. Toutefois Charles de Gaulle n'était aucunement satisfait de ce partage et tandis que les troupes américaines avançaient à travers le nord de la Bade et du Wurtemberg en direction de la Bavière, il fit occuper Karlsruhe et Stuttgart par les soldats français et les troupes coloniales venues d'Alsace. Les Améri

durchaus sein Gewicht in die Waagschale zu werfen weiß.

Drei schreitende schwarze Löwen im goldenen Schild, das ist die heraldisch korrekte Beschreibung des Landeswappens. Man hat in der Geschichte weit zurückgreifen müssen, um nicht das badische Wappen mit dem roten Schrägbalken auf goldenem Grund oder die württembergischen Hirschstangen bemühen zu müssen. Im Hochmittelalter haben die Staufer als Herzöge von Schwaben, das gut zwei Drittel des heutigen Bundeslandes umschloß, dieses Erkennungszeichen, das sie auch als Könige und Kaiser führten, auf ihre Schilde malen und in ihre Siegel schneiden lassen.

## Die Dreiteilung des Südwestens durch die Alliierten

Noch einmal eine Rückblende auf das Ende des Zweiten Weltkriegs. Im Frühjahr 1945 rückten Engländer, Amerikaner und Franzosen auf den Rhein zu. Zusammen mit den Russen hatten die Westalliierten schon zuvor ihre späteren Besatzungszonen vereinbart, wobei festgelegt worden war, daß Frankreich die Rheinpfalz, Rheinhessen und Teile der preußischen Rheinlande bekommen sollte. Charles de Gaulle war damit aber nicht zufrieden, und während die US-Truppen durch Nordbaden und Nordwürttemberg in Richtung Bayern vor-

Rhenish Palatinate, Rhine Hesse and parts of Prussia's Rhineland province, but Charles de Gaulle was not satisfied with that. While US forces advanced through northern Baden and northern Württemberg toward Bavaria, he sent in French troops and colonial forces from Alsace to occupy Karlsruhe and Stuttgart. The Americans were prepared to make concessions but insisted on a land link between "their" states of Hesse and Bavaria via the Frankfurt-Karlsruhe-Stuttgart-Ulm-Munich autobahn.

After the US put its foot down, the French had to withdraw to the rural administrative districts that did not border on or incorporate the autobahn. That was why, by sheer coincidence, the established states of Baden and Württemberg were severed. As the French forces also strictly sealed off their sphere of influence, not just administrative areas but people from the same region were separated from each other. The occupying power then set up in southern Baden the state of Baden, with Freiburg as its capital, and in southern Württemberg the state of Württemberg-Hohenzollern, the borders of which largely coincide with what, from 1850, was a Prussian administrative district. Its seat of government was Tübingen.

The Americans, in contrast, merged northern Baden and northern Württemberg as Württemberg-

cains étaient prêts à faire des concessions, exigèrent toutefois l'autoroute Francfort-Karlsruhe-Stuttgart-Ulm-Munich pour servir de voie de communication entre «leurs» deux Länder: la Hesse et la Bavière.

Après une mise au point énergique de la part des Américains, les Français durent se retirer dans les cantons n'étant pas touchés par cette autoroute. Ainsi le hasard voulut-il que les Länder historiquement homogènes de Bade et de Wurtemberg fussent morcelés. Les militaires français verrouillant par ailleurs leur zone d'influence, non seulement des circonscriptions administratives furent éclatées, mais encore les habitants d'une même contrée furent-ils séparés. Les occupants créèrent alors pour la Bade du sud le Land de Bade dont le centre était Fribourg et pour le Wurtemberg du sud la province de Wurtemberg-Hohenzollern, dont les frontières correspondaient en gros à celles d'un district administratif prussien existant depuis 1850. Dans ce dernier cas, Tübingen fut choisie comme siège du gouvernement. Les Américains, quant à eux, regroupèrent les deux moitiés nord du pays, donnant ainsi naissance au Wurtemberg-Bade avec Stuttgart pour capitale.

On peut affirmer à juste titre que si les puissances victorieuses s'étaient alors mises d'accord pour attribuer la Bade aux Français et le

In Baden-Baden, dem Sitz der französischen Militärregierung für die gesamte Besatzungszone, ist 1948 die Präsenz der Alliierten augenfällig.

In Baden-Baden, seat of the French military government for the French zone of occupation, in 1948 there was no overlooking the Allied presence.

En 1948, la présence des alliés est visible dans les rues de Baden-Baden, siège du gouvernement militaire français pour la zone d'occupation.

Schwetzingen 1946: US-Militärpolizisten reden mit einem Droschkenkutscher.

US military police are here seen talking to a coachman in Schwetzingen in 1946.

Schwetzingen en 1946: des policiers militaires américains parlent avec un cocher.

stießen, ließ er französische Soldaten und Kolonialtruppen vom Elsaß her vordringen und Karlsruhe und Stuttgart besetzen. Die Amerikaner waren bereit, Zugeständnisse zu machen, forderten aber zwischen „ihren" Ländern Hessen und Bayern die Autobahn Frankfurt–Karlsruhe–Stuttgart–Ulm–München als Verbindungsweg.

Nach einem Machtwort der Amerikaner mußten sich die Franzosen in die nicht von der Autobahn tangierten Landkreise zurückziehen. So kam es zu einer zufälligen Zerschneidung der gewachsenen Länder Baden und Württemberg. Da die französischen Militärs zudem ihren Einflußbereich strikt abriegelten, wurden nicht nur Verwaltungsräume, sondern auch landsmannschaftlich verbundene Menschen getrennt. Die Besatzer schufen daraufhin für

Baden, with Stuttgart as its capital.

It is fair to say that if the Allies had agreed at the time to award Baden to the French and Württemberg to the Americans, they would be separate states to this day. But under external pressure the northern half of the south-western state was already in existence as a model for the future. When, after countless political and emotional disputes, voters went to the polls on 9 December 1951, a majority in northern Baden and in both parts of Württemberg supported a south-western state. True, 62.2% of votes cast in southern Baden were for retaining their state, but the birth ceremony of the new state went ahead as described earlier.

Wurtemberg aux Américains, ces deux Länder se côtoieraient encore aujourd'hui sur la carte géopolitique. C'est ainsi qu'en raison d'une pression venue de l'extérieur, l'Etat du sud-ouest avait déjà été créé pour moitié et pouvait servir de modèle pour l'avenir. Lorsque, après d'innombrables querelles politiques chargées d'émotion, les électeurs se rendirent aux urnes le 9 décembre 1951, une majorité en faveur de l'Etat du sud-ouest se cristallisa en Bade du nord et dans les deux parties du Wurtemberg. Toutefois les Badois du sud votèrent à 62,2 pour cent pour le maintien de leur pays. La naissance du nouveau Land fédéré, dont nous parlions au début, se fit malgré cela.

## Le grand-duché de la Bade et le royaume du Wurtemberg

Les Etats mentionnés avaient vu le jour un peu moins de 150 ans plus tôt, c'est à dire au début du XIXe siècle et été confirmés lors du cé-

Am 9. Dezember 1951 wurde über den Südweststaat abgestimmt.

On 9 December 1951, people voted on whether to merge into a single south-western state.

Le 9 décembre 1951, les habitants mettent aux voix la création de l'Etat du sud-ouest.

Mit Emotionen wurde Stimmung für die Wiederherstellung des Landes Baden gemacht.

Emotional appeals were used to drum up support for the restoration of Baden state.

On se servit des émotions pour faire campagne en faveur de la reconstitution du Land de la Bade.

### The grand duchy of Baden and the kingdom of Württemberg

das südliche Baden das Land Baden mit der Zentrale Freiburg und für Südwürttemberg das Land Württemberg-Hohenzollern, das also auch den kleinen, seit 1850 bestehenden preußischen Regierungsbezirk mit einbezog. Hier wurde Tübingen Regierungssitz. Die Amerikaner hingegen vereinigten die nördlichen Landeshälften zu Württemberg-Baden mit Stuttgart als Hauptstadt.

Mit Fug und Recht kann man sagen: Hätten sich die Sieger damals darauf verständigt, Baden den Franzosen und Württemberg den Amerikanern zu überlassen, stünden bis heute diese Länder nebeneinander auf der politischen Landkarte. So war auf Druck von außen schon einmal der halbe Südweststaat gebildet worden, ein Modell für die Zukunft. Als dann nach zahllosen

The two states – the grand duchy of Baden and the kingdom of Württemberg – had taken shape nearly 150 years earlier, at the beginning of the nineteenth century, and their existence was reaffirmed at the Congress of Vienna in 1814/15, which the French diplomat Talleyrand said had "danced but made no progress." They were medium-sized states that with the passage of time achieved a high degree of identification between their rulers and subjects. Both states were created at the behest of Napoleon, who in the course of the French Revolution rose to sole ruler and emperor of France. With his campaigns of warfare Napoleon shook up permanently and stirred up fun-

lèbre congrès de Vienne 1814/ 1815, qui selon une phrase de Talleyrand «dansait mais ne progressait pas»: le grand-duché de Bade et le royaume du Wurtemberg, des Etats de moyenne importance qui, au fil du temps, avaient su réaliser une forte identification des habitants à leurs souverains et gouvernants. Ces deux Etats avaient été façonnés selon la volonté de Napoléon qui, au cours de la Révolution française, s'était hissé au rang de souverain absolu et d'empereur des Français. Par ses campagnes militaires, il avait durablement ébranlé et profondément révolutionné les structures du pouvoir en Europe centrale. Après avoir vaincu les puissances dirigeantes du Saint Empire romain germanique, triomphé de la Prusse et de l'Autriche, il fit s'effondrer toute l'ossature décomposée de l'Empire presque millénaire. Au palais viennois de la Hofburg, le dernier empereur François II donna l'ordre à la fin de 1805 de remiser dans la chambre du Trésor l'ancestrale couronne impériale, vestige désormais inutile.

Avant que Napoléon n'eut le temps de remanier la carte de l'Allemagne, surtout au sud du pays, la diète permanente du Saint Empire siégeant à Ratisbonne avait déjà réduit le nombre des seigneurs directement responsables devant l'empereur – ils étaient au nombre de 600 environ dans le seul sud-ouest du pays! La première mesure prise

politischen und emotionalen Streitereien am 9. Dezember 1951 die Wähler zu den Urnen gingen, ergab sich in Nordbaden und in beiden Teilen von Württemberg eine Mehrheit für den Südweststaat. Allerdings votierten die Südbadener mit 62,2 Prozent für den Bestand ihres Landes. Trotzdem kam es zur eingangs geschilderten Geburtsstunde dieses neuen Bundeslandes.

**Das Großherzogtum Baden und das Königreich Württemberg**

Die genannten Länder waren knapp 150 Jahre früher, also zu Beginn des 19. Jahrhunderts, entstanden und auf dem berühmten Wiener Kongreß 1814/1815, der nach einem Wort von Talleyrand „tanzte, aber nicht vorankam", bestätigt worden: das Großherzogtum Baden und das Königreich Württemberg – Mittelstaaten, die es im Laufe der Zeit zu einer hohen Identifikation der Bewohner mit ihren Regenten und Regierenden gebracht hatten. Beide Staaten waren Gebilde von Napoleons Gnaden, der sich im Verlauf der Französischen Revolution zum Alleinherrscher und Kaiser der Franzosen emporgeschwungen hatte. Mit seinen Kriegszügen hatte er die Machtstrukturen Mitteleuropas nachhaltig erschüttert und gründlich durcheinandergewirbelt. Nachdem er die Führungsmächte des

damentally the power structures of Central Europe. Once he had defeated Prussia and Austria, the leading powers of the Holy Roman Empire, the crumbling fabric of the nearly 1,000-year-old empire collapsed, and at the Hofburg, the Austrian imperial palace in Vienna, the last Holy Roman Emperor Franz II at the end of 1805 ordered the archaic imperial crown to be stored in the treasure chamber as what by then was a superfluous relic of history.

Before Napoleon was able to reorganise Germany's pattern of states, especially in the south, the Imperial Diet in Regensburg had already greatly reduced the number of rulers directly answerable to the emperor, of whom there were roughly 600 in the south-west! The first move, in 1802/03, was the abolition of Catholic monasteries and imperial abbeys, whose buildings, earnings and land were awarded to Baden, Württemberg and other secular rulers. Most large monasteries were in the south, where the Habsburg dynasty from Upper Swabia to the Breisgau had posed as the protecting power of the old religion. They include Gengenbach, St Trudpert, St Peter, St Märgen, St Blasien, Salem (where the margrave of Baden's family still lives), Weingarten, Ochsenhausen, Schussenried, Zwiefalten and Wiblingen near Ulm. Then, in the Ostalb region, there is Neresheim, the

en 1802/1803 fut l'abolition de tous les monastères catholiques et abbayes impériales dont les bâtiments, revenus et domaines revinrent aux Badois, aux Wurtembergeois et autres seigneurs séculiers. C'est dans le sud tout particulièrement, là où les Habsbourg s'étaient posés en puissance protectrice de l'ancienne foi, allant de la Haute-Souabe jusqu'au Brisgau, que se trouvent la plupart des grands monastères: Gengenbach, St-Trudpert, St-Peter, St-Märgen, St-Blasien, Salem – où vit aujourd'hui la famille du margrave de la Bade –, Weingarten, Ochsenhausen, Schussenried, Zwiefalten et Wiblingen près d'Ulm. En outre sur le Jura oriental: Neresheim, le prieuré princier d'Ellwangen, plus au nord Schöntal sur la Jagst et Bronnbach sur la Tauber, pour ne citer que les plus célèbres, qui jusqu'à nos jours forcent l'admiration grâce à leurs églises et leurs bâtiments conventuels le plus souvent de style baroque.

Presqu'à la même époque, une grave décision fut prise à Ratisbonne: l'abolition de presque toutes les villes autonomes d'Empire, héritage de la prestigieuse époque des Hohenstaufen dont abondait le sud-ouest du pays, et qui étaient gouvernées par des patriciens ou des corporations. Le royaume de Wurtemberg comptait à lui seul 19 «Républiques» de ce genre. Il en existait de petites telles que Buchau, Giengen ou Bopfingen,

Heiligen Römischen Reiches Deutscher Nation, nachdem er Preußen und Österreich besiegt hatte, stürzte das morsche Gebälk des fast 1000 Jahre alten Reichs ein, und in der Wiener Hofburg gab Ende 1805 Franz II. die Anweisung, die altertümliche Kaiserkrone als ein nun entbehrliches Relikt in die Schatzkammer zu tragen.

Bevor Napoleon vor allem im Süden die Staatenlandschaft Deutschlands neu gestalten konnte, hatte eine Versammlung in Regensburg bereits die Zahl der direkt dem Kaiser verantwortlichen, der reichsunmittelbaren Städte und Herrschaften – von ihnen gab es im Südwesten rund 600! – stark reduziert. Der erste Schritt war 1802/1803 die Säkularisierung aller katholischen Klöster und Reichsabteien, deren Bauten, Einkünfte und Ländereien nun den Badenern, Württembergern und anderen weltlichen Herren zufielen. Vor allem im Süden, wo die Habsburger von Oberschwaben bis in den Breisgau als Schutzmacht des alten Glaubens aufgetreten waren, sind die meisten der großen Klöster beheimatet: Gengenbach, St. Trudpert, St. Peter, St. Märgen, St. Blasien, Salem (hier wohnt heute die Familie des Markgrafen von Baden), Weingarten, Ochsenhausen, Schussenried, Zwiefalten und Wiblingen bei Ulm. Außerdem auf der Ostalb Neresheim, die Fürstpropstei Ellwangen, weiter nördlich

prince-provostship of Ellwangen and, further north, Schöntal on the Jagst and Bronnbach on the Tauber, to name but the more important among them. To this day they remain impressive with their mainly baroque churches and monastery buildings.

Almost simultaneously, another decision with far-reaching consequences was made in Regensburg. Almost all free and self-governing imperial cities were abolished. In the south-west they were particularly numerous, a legacy of the glorious Hohenstaufen era, and ruled by patricians or by guilds. In the kingdom of Württemberg alone there were 19 "republics" of this kind. They included minnows like Buchau, Giengen or Bopfingen whose claim to be self-governing cities owing allegiance only to the Emperor often earned scorn and derision. Then there were medium-sized city-states such as Offenburg, Überlingen, Ravensburg, Biberach, Rottweil, Reutlingen, Esslingen, Schwäbisch Gmünd, Aalen and Heilbronn, while Schwäbisch Hall and Ulm were imperial cities that outstripped substantially in size the territory over which many counts and princes ruled.

Among the secular rulers the electoral princes of the Palatinate stood out, with their courts in Mannheim and Schwetzingen, as did the margraves of Baden, who built themselves baroque and clas-

dont la prétention à être des entités indépendantes sous l'égide de l'empereur suscitait souvent les sarcasmes. Il y avait là des villes-Etats de moyenne importance comme Offenburg, Überlingen, Ravensburg, Biberach, Rottweil, Reutlingen, Esslingen, Schwäbisch Gmünd, Aalen et Heilbronn et l'on y trouvait également des villes impériales telles Schwäbisch Hall et Ulm dont le territoire dépassait largement les possessions de nombreux comtes et princes.

Parmi les seigneurs séculiers se distinguaient les princes-électeurs du Palatinat, qui avaient leur cour à Mannheim et à Schwetzingen, les margraves de Bade qui s'étaient fait construire à Karlsruhe et à Rastatt des résidences de style baroque et classique, ou bien encore les ducs de Wurtemberg, qui régnaient et donnaient leurs réceptions tour à tour à Stuttgart et à Ludwigsburg. Il faut citer en outre les princes de Fürstenberg exerçant leur pouvoir à partir de Donaueschingen, les princes de Waldburg en Haute-Souabe, et les princes de Hohenlohe et ceux de Löwenstein-Wertheim au nord-est de la région. En plus d'une demi-compagnie de comtes, il convient d'ajouter deux bonnes compagnies de barons et de chevaliers de l'Empire qui ne régnaient que sur un château de petite importance ou sur un ou deux villages. Il convient à cet endroit de mentionner à titre

Vor dem Ersten Weltkrieg wurde im Nordschwarzwald, auf der Alb und im Allgäu noch Flachs angebaut. Diese Bäuerin bricht die Pflanzenstiele, um an die Fasern zu kommen.

Before World War I, flax was still grown in the northern Black Forest, Alb and Allgäu regions. This farmer's wife is seen breaking the stalk to get at the fibres.

Avant la première guerre mondiale, on cultivait encore le lin dans le nord de la Forêt-Noire, sur le Jura souabe et dans l'Allgäu. La paysanne brise la tige de la plante pour libérer les fibres.

Eine Glashütte im Schwarzwald, festgehalten um 1830.

A Black Forest glassworks photographed in about 1830.

Une verrerie de la Forêt-Noire, prise en photo vers 1830.

Schöntal an der Jagst und Bronnbach an der Tauber, um nur die bedeutenderen zu nennen, die bis in die Gegenwart durch ihre meist barocken Kirchen und Klostergebäude beeindrucken.

Fast zeitgleich wurde in Regensburg ein zweiter schwerwiegender Beschluß gefaßt: die Aufhebung fast aller autonomer Reichsstädte, die im Südwesten als Erbschaft der glanzvollen Staufer-Epoche zahlreich vertreten waren und von Patriziern oder Zünften regiert wurden. Im Königreich Württemberg zählte man allein 19 solcher „Republiken", darunter so kleine wie Buchau, Giengen oder Bopfingen, deren Anspruch, selbständige Gebilde unter dem Kaiser zu sein, oft Hohn und Spott hervorrief. Neben mittleren Stadtstaaten wie Offenburg, Überlingen, Ravensburg, Biberach, Rottweil, Reutlingen, Esslin-

sical palaces in Karlsruhe and Rastatt, and the dukes of Württemberg, who celebrated and ruled in Stuttgart and Ludwigsburg alternately. There were also the princes of Fürstenberg, who ruled mainly from Donaueschingen, the princes of Waldburg in Upper Swabia and in the north-east the princes of Hohenlohe and Leiningen. To them we must add half a company of imperial counts and over two companies of barons who often only ruled over a small palace and one or two villages. They included among many others the widespread von Gemmingen family in the Kraichgau region and the von Berlichingen family, who keep to this day in their Jagsthausen castle their progenitor Götz von Berlichingen's iron hand.

With the exception of the electoral princes of the Palatinate, who

d'exemple la dynastie des Gemmingen aux nombreuses ramifications dans le Kraichgau et celle des Berlichingen qui a conservé jusqu'à nos jours la main de fer de son ancêtre Götz von Berlichingen dans le château de Jagsthausen.

A l'exception des princes-électeurs du Palatinat qui étaient allés à temps s'établir en Bavière et y étaient devenus rois, tous les nobles dont il a été question perdirent – du moins à leurs propres yeux – leur statut de souverains de droit divin, lorsque le vieil Empire s'effondra et que Napoléon fit du margraviat de Bade et du duché de Wurtemberg des Etats alliés dont il avait rehaussé le rang. C'est ainsi que le grand-duc avait pu quadrupler l'étendue de son territoire et multiplier le nombre de ses sujets par cinq, que le roi régnait désormais sur un Etat presque trois fois plus grand tandis que le chiffre de la population avait plus que doublé.

Il fallait ensuite que les nouvelles entités politiques se soudent

gen, Schwäbisch Gmünd, Aalen und Heilbronn existierten mit Schwäbisch Hall und Ulm Reichsstädte mit einem Territorium, das den Besitz vieler Grafen und Fürsten erheblich übertraf.

Unter den weltlichen Herren ragten die Kurfürsten von der Pfalz heraus, die in Mannheim und Schwetzingen hofhielten, die Markgrafen von Baden, die sich in Karlsruhe und Rastatt barock und klassizistisch ausgeformte Residenzen erbaut hatten, oder die Herzöge von Württemberg, die abwechselnd in Stuttgart und Ludwigsburg feierten und regierten. Weiterhin sind die Fürsten von Fürstenberg mit Donaueschingen als Herrschaftsmittelpunkt, in Oberschwaben die Fürsten von Waldburg und im Nordosten des Gebiets die Fürsten von Hohenlohe und von Löwenstein-Wertheim zu erwähnen. Zu einer halben Kompanie Reichsgrafen sind noch gut zwei Kompanien Freiherren und Reichsritter dazuzurechnen, die oft nur über ein

had moved in time to Bavaria and reigned as kings, all these rulers forfeited what they at least felt to be their God-given sovereignty when the old empire collapsed and Napoleon set up the margravate of Baden and the duchy of Württemberg as allied states with a correspondingly higher status. The grand-duke increased his territory fourfold and the number of his subjects fivefold, while the king had increased his territory threefold and more than doubled the number of his subjects.

The new states had then to grow together and consolidate. Baden, with its much smaller heartland, had almost no choice but to give the appearance of being more liberal and proclaimed in 1818 a constitution with a popularly elected state assembly. The grand-duchy later came by the honourable epi-

et se consolident. Dans le pays de Bade, où le noyau d'origine était bien plus petit que dans le pays voisin, on se montrait bon gré mal gré plus libéral et l'on instaura dès 1818 une constitution avec une diète dont les députés étaient élus par le peuple. Plus tard le grand-duché reçut le nom honorable de «Musterländle», petit pays exemplaire, désignation qu'on reprend aujourd'hui volontiers au sujet du Bade-Wurtemberg tout entier. Tout juste une année plus tard, le roi de Wurtemberg suivit l'exemple de la Bade en édictant une constitution analogue.

### Le devenir d'une région industrielle

Les deux pays devaient alors faire face aux mêmes difficultés sur le plan social et économique. Chaque

Robert Bosch (1861–1942), Erfinder und Großindustrieller.

Robert Bosch, 1861–1942, inventor and industrialist.

Robert Bosch (1861–1942), inventeur et industriel.

kleineres Schloß und über ein oder zwei Dörfer befehligten. Hier sind stellvertretend für die vielen anderen die weitverzweigten Gemmingen im Kraichgau und die Berlichingen zu nennen, die in ihrem Schloß in Jagsthausen die eiserne Faust ihres Ahnherrn Götz von Berlichingen bis heute aufbewahren.

Bis auf die Kurfürsten von der Pfalz, die rechtzeitig nach Bayern gezogen waren und zu Königen aufstiegen, verloren die genannten Herren ihre „gottgegebene Souveränität", als das alte Reich zusammenbrach und Napoleon aus der Markgrafschaft Baden und dem Herzogtum Württemberg ihm verbündete Staaten formte. Der Großherzog hatte danach sein Gebiet vervierfacht und die Zahl seiner Untertanen verfünffacht, der König seinen Staat beinahe verdreifacht und die Bevölkerungszahl mehr als verdoppelt.

Die neuen Staatswesen mußten dann zusammenwachsen und sich konsolidieren. In Baden, wo das Kernland wesentlich kleiner war als beim Nachbarn, gab man sich liberaler und erließ schon 1818 eine Verfassung mit einem vom Volk gewählten Landtag. Später erhielt das Großherzogtum den ehrenvollen Namen „Musterländle", der heute gern auf Baden-Württemberg übertragen wird. Nur ein Jahr später verabschiedeten die württembergischen Abgeordneten eine vergleichbare Verfassung.

thet "Musterländle" (model state) that people today are fond of applying to Baden-Württemberg. Just a year later, the king of Württemberg followed suit with a comparable constitution.

## An industrial region in the making

In those days, both states faced the same social and economic difficulties. Year by year, thousands of people emigrated, mainly to North America, because apart from wine growing and farming, craftsmanship and a little trade there was no way to earn a living. As raw materials such as ore and coal were available to only a limited extent, the only solution was to set up a manufacturing and processing industry and to make quality prod-

année des milliers d'habitants émigraient principalement en Amérique du Nord, car en dehors de la culture de la vigne et de l'agriculture, des métiers artisanaux et d'un peu de commerce, le pays n'offrait guère de possibilités de gagner sa vie. Les matières premières, telles que minerai et charbon, étant peu disponibles, la seule issue était de développer une industrie de transformation de biens, et de fabriquer des produits sophistiqués. Pendant la période qui marqua les débuts de l'industrialisation, aux environs de 1825, les Badois, forts des capitaux suisses et du savoir-faire français, avaient une longueur d'avance, favorisés qu'ils furent également peu après par la construction de la ligne de chemin de fer menant de Mannheim à Bâle. Après 1845, les Wurtembergeois suivirent leur exemple en aménageant la ligne dite nord-sud de Heilbronn à Friedrichshafen en passant par Stuttgart et Ulm, ainsi qu'un embranchement menant dans la vallée badoise du Rhin. Des fabriques produisant des textiles, du papier et des machines fournirent du travail aux habitants des vallées de la Forêt-Noire. Les Wurtembergeois ne purent rattraper leur retard que dans la deuxième moitié du XIXe siècle et finirent même par surpasser la Bade. Il faut dire aussi que, grâce au soutien de l'Etat et à l'initiative privée, l'industrie ne se concentra nulle part comme ce fut

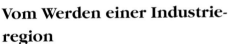

## Vom Werden einer Industrieregion

Beide Länder standen im 19. Jahrhundert vor großen sozialen und wirtschaftlichen Schwierigkeiten. Jahr für Jahr wanderten Tausende – vor allem nach Nordamerika – aus, denn außer Weinbau und Landwirtschaft, Handwerk und ein wenig Handel gab es kaum Verdienstmöglichkeiten. Da Rohstoffe wie Erz und Kohle nur in geringem Umfang vorhanden waren, blieb einzig der Ausweg, eine Güter- und Veredlungsindustrie aufzubauen und hochwertige Produkte herzustellen. In der frühindustriellen Phase um 1825 hatten die Badener mit Schweizer Kapital und französischem Know-how die Nase vorn, bald auch begünstigt durch den Bau der Eisenbahn von Mannheim

ucts. In the early industrial period in about 1825, Baden led the way with Swiss capital and French know-how, soon to be boosted by the construction of the railway from Mannheim to Basle. But in 1845, Württemberg followed with the so-called North-South line from Heilbronn to Friedrichshafen via Stuttgart and Ulm, plus a branch line to the Rhine Valley in Baden. Textile, paper and engineering factories brought jobs to Baden's Black Forest valleys. Württemberg was not able to draw level until the second half of the nineteenth century but then overtook Baden. In the process, by dint of government support and private initiative, industry was not concentrated in any one area in the way that it was in, say, the Ruhr, but was located all over the kingdom, from

le cas dans le Bassin de la Ruhr, mais se répartit dans tout le royaume, de l'Unterland au lac de Constance.

L'année 1886 fut marquée par une double étincelle – au sens presque littéral du mot – dans le domaine de l'invention: Karl Benz construisit à Mannheim sa première automobile, Gottlieb Daimler à Cannstatt près de Stuttgart son premier véhicule à moteur. Le fait que leurs deux firmes aient fusionné dans les années 20 pour former l'embryon Daimler-Benz montre clairement qu'il est plus facile d'opérer des fusions au-delà des frontières d'un pays dans le domaine économique qu'au plan politique. Au Bade-Wurtemberg, un emploi sur quatre dépend de l'industrie automobile, grâce au groupe DaimlerChrysler doté de différents

Feierlichkeiten zum 400jährigen Bestehen der Tübinger Universität im Kloster Bebenhausen.

The ceremony held to commemorate Tübingen University's 400th anniversary.

Les festivités à l'occasion du 400ième anniversaire de l'université du Tübingen.

Die Freiburger Universität in der 1930er Jahren, heute das Kollegiengebäude I. Der monumentale Bau stammt vom Beginn des 19. Jahrhunderts.

Freiburg University in the 1930s: today's College Building I, a monumental building dating back to the early nineteenth century.

nach Basel. Nach 1845 folgte Württemberg mit der sogenannten Nord-Süd-Linie von Heilbronn über Stuttgart und Ulm nach Friedrichshafen und einem Abzweig hinüber ins badische Rheintal. Textil-, Papier- und Maschinenfabriken brachten Arbeit in die Schwarzwaldtäler. Diesen Vorsprung konnten die Württemberger erst in der zweiten Hälfte des 19. Jahrhunderts wettmachen und dann Baden sogar überflügeln. Dank staatlicher Unterstützung und privatem Einsatz konzentrierte sich die Industrie allerdings nirgendwo so stark wie im Ruhrgebiet, sondern überzog weithin das Königreich vom Unterland bis an den Bodensee.

Für das Jahr 1886 ist – fast im wörtlichen Sinn – ein erfinderischer Doppelfunken zu vermelden: In Mannheim baut Karl Benz sein erstes Auto, in Cannstatt bei Stuttgart Gottlieb Daimler seine erste Motorkutsche. Daß ihre Firmen in den 1920er Jahren zu Daimler-Benz fusionieren, zeigt deutlich, daß es in der Wirtschaft leichter zu Zusammenschlüssen über Ländergrenzen hinweg kommt als in der

the lowlands of the north to Lake Constance in the south.

In 1886, almost literally, invention fired a twofold spark when Karl Benz made his first automobile in Mannheim and Gottlieb Daimler his first motor-car in Cannstatt, near Stuttgart. The fact that their two firms merged as Daimler-Benz in the 1920s is a clear indication that cross-border mergers come about faster in business than in politics. In Baden-Württemberg one job in four de-

centres de production répartis dans l'ensemble du pays, grâce aussi à l'entreprise Porsche à Stuttgart et à l'usine Audi à Neckarsulm. Les industries du textile, du cuir et horlogère, plus anciennes, ont beaucoup perdu en importance. En revanche la construction mécanique a évolué en direction du laser et de l'électronique tandis que la technique des communications s'est enrichie de la production d'ordinateurs. Le groupe Bosch, dont le fondateur Robert Bosch

Das Kollegiengebäude der Universität Heidelberg um 1900. Das barocke Bauwerk wurde um 1720 errichtet.

The college building of Heidelberg University in about 1900, a Baroque building dating back to about 1720.

Le bâtiment du corps enseignant de l'université d'Heidelberg vers 1900. Cet édifice de style baroque a été érigé vers 1720.

Politik. In Baden-Württemberg ist jeder vierte Arbeitsplatz von der Automobilindustrie abhängig, dank des Konzerns DaimlerChrysler mit verschiedenen Produktionsstätten im Land, dank der Stuttgarter Firma Porsche und der Audifabrik in Neckarsulm. Die ältere Textil-, Leder- und Uhrenindustrie ist stark rückläufig, dafür hat sich der Maschinenbau in Richtung Laser und Elektronik verändert, ist zur Nachrichtentechnik die Computerherstellung hinzugekommen. Davon

pends on the automobile industry. DaimlerChrysler provides jobs in various locations, while Porsche is based in Stuttgart and Audi in Neckarsulm. The older textile, leather and watch and clock industries have declined sharply in significance, whereas mechanical engineering has undergone change in the direction of lasers and electronics and telecoms engineering has been joined by computer technology. One beneficiary of this trend is the Bosch Group. Its founder, Robert Bosch, made his fortune with electrical ignition for car engines.

More than half the state's industrial output is created in the Stuttgart area, the Central Neckar region. Other centres of industrial activity are Mannheim-Heidelberg, Karlsruhe-Pforzheim, Offenburg, Freiburg, Lörrach and the Wiesen-

avait fait fortune dans le domaine de la mécanique de l'allumage pour les moteurs de voitures, en tire également profit.

Plus de la moitié de la production industrielle est réalisée dans l'agglomération de Stuttgart, dans la région du cours moyen du Neckar. Les autres pôles industriels sont localisés à Mannheim-Heidelberg, Karlsruhe-Pforzheim, Offenburg, Fribourg, Lörrach et dans la vallée de Wiesental, Heilbronn-Neckarsulm, Künzelsau-Öhringen, Aalen-Heidenheim, Ulm, Reutlingen-Balingen-Albstadt-Tuttlingen ainsi qu'à Ravensburg-Friedrichshafen. Environ 1,25 millions d'employés fabriquent des produits allant de la cheville aux turbines géantes destinées aux centrales hydrauliques, produits exportés à 40 pour cent. Ainsi le Bade-Wurtemberg participe-t-il pour 2,5 pour

profitiert auch der Bosch-Konzern, dessen Gründer Robert Bosch mit elektrischer Zündmechanik für Automotoren sein Glück gemacht hatte.

Mehr als die Hälfte der industriellen Wertschöpfung wird im Großraum Stuttgart erbracht, in der Region Mittlerer Neckar. Die anderen Schwerpunkte bilden Mannheim-Heidelberg, Karlsruhe-Pforzheim, Offenburg, Freiburg, Lörrach und das Wiesental, Heilbronn-Neckarsulm, Künzelsau-Öhringen, Aalen-Heidenheim, Ulm, Reutlingen-Balingen-Albstadt-Tuttlingen sowie Ravensburg-Friedrichshafen. Insgesamt 1,25 Millionen Beschäftigte erzeugen Produkte vom Dübel bis zu Riesenturbinen für Wasserkraftwerke, die zu 40 Prozent exportiert werden. Im Zeitalter rasanter Neuerungen und fortwährender Innovationen ist das Land der Dichter, Denker und Tüftler bei den Patentanmeldungen bundesweit Spitzenreiter. Aber der deutsche Südwesten weist nicht nur den höchsten Industrialisierungsgrad der Nation auf, er hat auch mit 115 Betrieben auf 10 000 Einwohner die höchste Handwerksdichte. Vielleicht ein Ausdruck der liberalkonservativen Grundhaltung der Menschen hier, die sich gleichfalls im Wahlverhalten bemerkbar macht.

Dazu paßt eine weitere Zahl: Rund 200 000 Studierende sind re-

tal area, Heilbronn-Neckarsulm, Künzelsau-Öhringen, Aalen-Heidenheim, Ulm, Reutlingen-Balingen-Albstadt-Tuttlingen and Ravensburg-Friedrichshafen. A total of 1.25 million employees manufacture goods ranging from dowel-type fixings to gigantic turbines for hydroelectric power stations, 40% of which are exported, giving Baden-Württemberg a world market share of 2.3%. As befits an age of dynamic change and constant innovation, Germany's state of poets, philosophers and inventors is the country's league leader for patent registrations. But the southwest boasts not only Germany's highest level of industrialisation. With 115 firms per 10,000 inhabitants it also has the country's highest density of tradesmen. That may be an expression of the liberal conservative basic outlook of people in Baden-Württemberg, an outlook that is reflected in equal measure in their voting patterns.

A further figure that matches the others is the 200,000 students enrolled at the state's universities and technical colleges. They in turn number 64 and include such long-established universities as Heidelberg, Freiburg and Tübingen, the erstwhile technical universities (now universities) of Karlsruhe and Stuttgart, and universities of more recent date such as Ulm and Konstanz. Then there are teacher training colleges, several colleges

cent au marché mondial. A une époque caractérisée par des changements fulgurants et des innovations permanentes, il est bon que le pays des poètes, des penseurs et des inventeurs vienne en tête pour ce qui est des dépôts de brevets au niveau fédéral. Mais le sud-ouest de l'Allemagne ne détient pas seulement la palme de l'industrialisation de toute la nation, il a également la plus haute densité d'entreprises artisanales avec 115 entreprises pour 10 000 habitants. Peut-être est-ce là l'expression de l'attitude profondément libérale et conservatrice des habitants de ce pays, qui se manifeste également dans leur comportement électoral.

Un autre chiffre vient s'y ajouter: environ 200 000 étudiants sont inscrits dans les 64 universités, dont celles vénérables de Heidelberg, Fribourg et Tübingen, les anciennes hautes écoles techniques de Karlsruhe et de Stuttgart devenues plus tard à leur tour universités, ou nouvellement fondées comme à Ulm et à Constance. Aux écoles normales viennent s'ajouter de nombreuses écoles supérieures des beaux-arts et presque 40 écoles supérieures de technologie et académies de formation professionnelle qui, basées sur le système dual, allient avec succès théorie et formation dans les entreprises et entretiennent des liens étroits avec l'industrie et le monde des affaires: culture et formation permettant de

gistriert. Sie verteilen sich auf 64 Hochschulen, darunter so altehrwürdige Universitäten wie Heidelberg, Freiburg und Tübingen, die ehemaligen Technischen Hochschulen und heutigen Universitäten Karlsruhe und Stuttgart oder Neugründungen wie Ulm und Konstanz. Zu den Pädagogischen Hochschulen kommen etliche Kunsthochschulen und fast 40 Fachhochschulen und Berufsakademien, die im dualen System Theorie und Ausbildung in den Betrieben erfolgreich verbinden und dadurch der Industrie und Geschäftswelt sehr nahestehen. Ganz allgemein: Bildung und Ausbildung sind wichtige Vorbedingungen für eine erfolgversprechende Bewältigung aller Probleme, die Leben und Wirtschaft immer wieder aufs neue hervorbringen.

## Ein junges Bundesland konsolidiert sich

Noch einmal eine Rückblende in die Frühzeit der Bundesrepublik Deutschland. Mit dem Ausrufen des Südweststaats, mit der Verfassung und dem Bindestrichnamen Baden-Württemberg, der einfach zwei Länder addiert, war die Kampfeslust der Altbadener noch nicht erloschen. Wenn sie die Stimmen für die Wiederherstellung des Landes Baden im Süden und im Norden zusammenzählten, so ergab sich in der Tat eine knappe Mehrheit für

Plakate werben in Mannheim vor der Baden-Abstimmung am 7. Juni 1970 für den Status quo und für die Wiederherstellung Badens.

Posters in Mannheim before the 7 June 1970 Baden plebiscite supporting the status quo and advocating the restoration of Baden.

Des affiches à Mannheim avant le vote populaire du 7 juin 1970 appellent soit au status quo, soit au rétablissement d'un Etat badois.

of art and nearly 40 universities of applied science and vocational academies that successfully link theory and practical, in-company training and maintain close ties with industry and commerce. Generally speaking, education and vocational training provide a constant guarantee of a promising approach to dealing with all the problems we face in life and business.

## A young federal state is consolidated

In a further flashback to the early days of the Federal Republic of Germany, the proclamation of a south-western state with a constitution and the double-barrelled name Baden-Württemberg that simply linked two states, by no means extinguished the Altbaden-

maîtriser tous les problèmes que la vie et le monde économique ne cessent de poser.

## Un jeune Land se forge

Faisons un retour en arrière, aux commencements de la République fédérale. La proclamation du Land du sud-ouest, l'instauration de la constitution et le nom de Bade-Wurtemberg, dont le trait d'union ne fait qu'additionner deux pays, n'avaient pas suffi à apaiser l'ardeur combative des habitants de l'ancienne Bade. S'ils totalisaient les voix en faveur d'un rétablissement du pays de Bade au sud et au nord, il en résultait en effet une faible majorité pour la défense de leurs intérêts. Ainsi voyaient-ils dans la réunion des Länder une falsification de la volonté des électeurs et firent appel

ihre Interessen. Sie sahen daher in der Vereinigung der Länder eine Verfälschung des Wählerwillens und gingen vor das Bundesverfassungsgericht, das mittlerweile seinen Sitz in Karlsruhe hatte. Die Richter gaben den Klagenden recht und ordneten eine erneute Befragung innerhalb der altbadischen Grenzen an. Für das junge Bundesland wirkte der Faktor Zeit, denn die Parteien in Bonn schufen erst mit Verzögerung die Grundlagen für eine erneute Abstimmung. Am 7. Juni 1970 war es dann soweit: 18 Jahre nach der Gründung stimmten auch die Südbadener mit einer Mehrheit von 82 Prozent für den Erhalt des Südweststaats.

Kurz darauf verordnete sich Baden-Württemberg eine Gemeinde-, Kreis- und Verwaltungsreform, die auf die historischen Grenzen zwischen den früheren Ländern keine Rücksicht mehr nahm, ja diese Trennungslinien ganz bewußt übersah. Von weit mehr als 3000 Gemeinden blieben noch genau 1111 übrig, außerdem neun Stadt- und 35 Landkreise. Die vier Regierungsbezirke konnten danach nicht mehr nach den Landesteilen, wie zum Beispiel Nordbaden, benannt werden, sondern nur noch nach dem Sitz der Mittelbehörden in Karlsruhe, Freiburg, Tübingen und Stuttgart. Der überwiegend badische Landkreis Main-Tauber beispielsweise wird jetzt von Stuttgart aus verwaltet.

ers' eagerness for the fray. When they added the votes polled for the restoration of the state of Baden in the south and the north, they found that there was a narrow majority in favour of their cause. They thus saw the unification of the two states as a falsification of what voters had wanted and appealed to the Federal Constitutional Court, which had meanwhile been set up in Karlsruhe. The Constitutional Court judges upheld their appeal and ordered a fresh poll within the borders of Baden of old. The time factor was on the young state's side because political parties in Bonn delayed laying the legislative groundwork for a fresh referendum. It was finally held on 7 June 1970. Eighteen years after Baden-Württemberg was constituted, people in southern Baden voted by a majority of 82% to retain the south-western state.

Shortly afterwards, Baden-Württemberg embarked on local government reforms that disregarded and indeed deliberately overrode the historic border between the two former states. Only 1,111 out of well over 3,000 local authorities survived, as did nine cities and 35 rural districts. The four largest administrative divisions no longer bore the names of regions, such as North Baden, but those of the cities that housed their administrations: Karlsruhe, Freiburg, Tübingen and Stuttgart. In this con-

au Tribunal constitutionnel fédéral qui entre-temps avait son siège à Karlsruhe. Les juges donnèrent raison aux plaignants et ordonnèrent une nouvelle consultation à l'intérieur des frontières de l'ancienne Bade. Le facteur temps a agi en faveur du nouveau Land fédéré, car les partis à Bonn ont tardé à poser les bases d'un nouveau scrutin. Enfin le 7 juin 1970, soit 18 ans après la création du Land, les habitants du sud de la Bade s'exprimèrent à leur tour en faveur du maintien du Bade-Wurtemberg, avec une majorité de 82 pour cent.

Peu de temps après, le Bade-Wurtemberg s'attacha à mettre en œuvre une réforme des communes, des circonscriptions et de l'administration ne tenant plus compte des frontières historiques entre les anciens Länder, qui plus est ignorant délibérément cette ligne de démarcation. Il ne resta très exactement que 1 111 communes sur les plus de 3 000 existant auparavant, neuf districts urbains et 35 districts ruraux. Après cela, les quatre circonscriptions administratives ne purent plus être dénommées en fonction des parties de régions telles que la Bade du nord, mais seulement d'après les quatre sièges des administrations intermédiaires à Karlsruhe, Fribourg, Tübingen et Stuttgart. C'est ainsi que le district rural Main-Tauber, en majorité badois, fait partie désormais de Stuttgart.

## Das „Bindestrich-Land": ein Musterländle

Baden-Württemberg ist sicher ein Glücksfall der Geschichte, die hier nicht nur alle Epochen der deutschen Vergangenheit, sondern auch noch Römer und Kelten mit einschließt. Man mag das Land eine Provinz nennen, aber provinziell ist es beileibe nicht. Auch außerhalb der anerkannten Kulturzentren wie Mannheim, Karlsruhe, Freiburg, Ulm oder Stuttgart – die Aufzählung ist beim besten Willen nicht vollständig – gibt es mittlere und kleinere kulturelle Kristallisationspunkte im Land und auf dem Land. Daß dies nicht nur an einer aufgeschlossenen Bevölkerung liegt, sondern auch mit den vielen historischen Zentren zu tun hat, dürfte nach diesem Rückblick in vergangene Zeiten klargeworden sein. Für dieses Phänomen hat man bereits ein Schlagwort gefunden, das Politiker gerne verwenden: dezentrale Kulturarbeit. Man kann aber auch formulieren: Einheit durch Vielfalt.

nection, Main-Tauber county, consisting mainly of Baden territory, now forms part of the Greater Stuttgart region (Stuttgart being the historical capital of Württemberg).

## The double-barrelled "model state"

Baden-Württemberg can definitely be described as an historic stroke of luck in that it incorporates both all eras of Germany's past and those of the Romans and Celts too. You may call the state a province if you want to, but it is by no means provincial. Even outside acknowledged cultural centres such as Mannheim, Karlsruhe, Freiburg, Ulm or Stuttgart (and that in no way completes the list), there are smaller and medium-sized cultural crystallisation points in both state and countryside. After this review of past epochs it will be clear that this is not just a matter of an enlightened public but of the state's many historical centres. Politicians are fond of using a catchphrase coined for this phenomenon. It is "decentral cultural work." But you might also call it unity in variety.

## Le Land au trait d'union: un petit pays modèle

Le Bade-Wurtemberg est certainement une chance historique, englobant non seulement toutes les époques du passé allemand, mais encore le temps des Romains et des Celtes. Ce pays peut être qualifié de province, mais il n'a certes rien de provincial. Même en dehors des centres culturels reconnus tels que Mannheim, Karlsruhe, Fribourg, Ulm ou Stuttgart – cette énumération n'est en aucune façon exhaustive – , il existe d'autres points de cristallisation culturelle de moyenne et de petite importance dans le pays et à la campagne. Que cela ne soit pas seulement le fait de l'ouverture d'esprit de la population, mais s'explique également par les nombreux centres historiques, devrait être apparu clairement après ce regard posé sur les temps passés. Pour nommer ce phénomène une formule a déjà été trouvée, que les hommes politiques se plaisent à employer: travail culturel décentralisé. Mais on peut également le formuler ainsi: unité dans la diversité.

Zwei Maskentypen der Narrenhochburg Rottweil haben sich auf diesem Bild vereinigt: ein „Fransekleid" und ein Narr mit dem Namen „Biß" nach dem stark betonten Gebiß.

Two typical masks from the carnival stronghold of Rottweil: a "Fransekleid" (literally: fringed dress) and a jester named "Biss" after his prominent teeth.

Deux types de masque de Rottweil, le fief des bouffons, sont unis sur cette photo: un «Fransekleid» (d'après son costume à franges) et un bouffon portant le nom «Biß» d'après sa dentition proéminente.

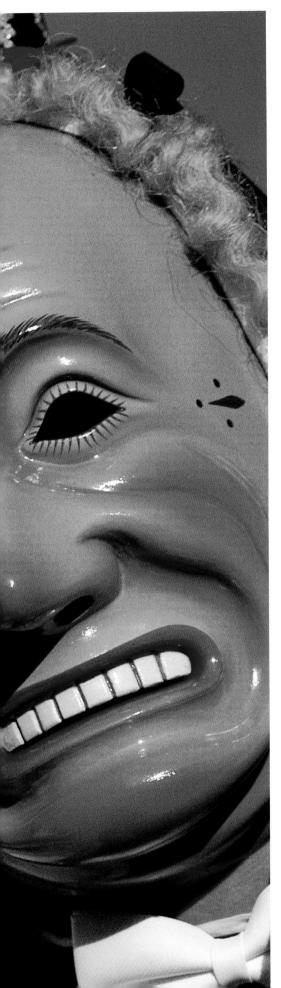

Von Landsleuten und ihren Festen

Baden-Württembergers and
their festivities

Les habitants du Land et leurs fêtes

„Die Einwohner sind fleißig und sparsam, hängen am alten Herkommen und gelten in der Mehrheit als kirchlich gesinnt." Solche und ähnliche Charakterisierungen, die den Autoren früherer Zeiten ohne Bedenken aus der Feder flossen, traut sich heute keiner mehr so recht zu, mögen sie zu guten Teilen auch immer noch zutreffen. Derartige Pauschalurteile sind jetzt allein angesichts der größeren Durchmischung der Bevölkerung unmöglich, bei der zu den Einheimischen längst integrierte Heimatvertriebene, Zuwanderer aus anderen Bundesländern, ausländische Arbeitseinwanderer, Spätaussiedler vor allem aus Rußland und Asylanten kommen. In Stuttgart, das hat jüngst eine statistische Auswertung ergeben, haben gerade einmal 19 Prozent in ihrem Paß die Landeshauptstadt als Geburtsort vermerkt. Um den hohen Grad an Mobilität in der Nachkriegsgesellschaft zu verdeutlichen, hier einige Zahlen: In den ersten 40 Jahren nach der Gründung des Südweststaats sind elf Millionen Menschen nach Baden-Württemberg gezogen, das andererseits acht Millionen – aus welchen Gründen auch immer – wieder verlassen haben. Der Wanderungsgewinn von drei Millionen hat natürlich zu den gegenwärtig mehr als zehn Millionen Landesbürgern beigetragen.

"The inhabitants are hard-working and thrifty, fond of their old traditions and for the most part religious in outlook." Today, even though they might in many respects still be accurate, no-one would feel entirely at ease in making characterisations of this kind, which writers had no misgivings about penning in the past. Such sweeping judgements are no longer possible, partly because the population is now so mixed, including locals born and bred, long-integrated expellees, newcomers from other German states, foreign migrant workers, ethnic German returnees, especially from Russia, and asylum-seekers. In Stuttgart, a recent statistical survey reveals, a mere 19% of people who live in the state capital are registered as having been born there. Here are a few figures to illustrate the high degree of mobility in post-World War II society: In the first 40 years after the formation of Germany's south-western state, eleven million people moved to Baden-Württemberg and eight million left the state, for whatever reason. The surplus of new arrivals over leavers – three million – has naturally contributed toward the state's present population of over ten million.

**Hard work and thrift**

Are Baden-Württembergers hard-working and thrifty, then? These

«Les habitants sont travailleurs et économes, s'en tiennent à ce qui a fait ses preuves et sont en majorité attachés à l'Eglise». De tels jugements, que les auteurs des temps passés portaient sans réserve sur papier, plus personne n'ose vraiment les reprendre à son compte de nos jours, même s'ils détiennent encore une partie de vérité. Un brassage de la population, dont font partie au même titre que la souche d'origine les Allemands expulsés des territoires de l'est après guerre et intégrés depuis déjà longtemps, ceux provenant d'autres Länder, les travailleurs étrangers, les réfugiés d'origine allemande venant principalement de Russie et les demandeurs d'asile, rend impossibles de tels jugements à l'emporte-pièce. Une récente enquête statistique à Stuttgart a constaté que tout juste 19 pour cent des citoyens de cette ville y sont nés. Les quelques chiffres suivants rendront palpable la grande mobilité de la société d'après guerre: au cours des 40 années qui ont suivi la fondation de ce Land du sud-ouest, onze millions de personnes sont venues s'installer dans le Bade-Wurtemberg, et – quelles qu'en soient les raisons – huit millions ont quitté cette région. Le solde positif de trois millions est naturellement inclus dans le chiffre actuel de plus de dix millions d'habitants.

„Häuslebauer"-Mentalität: ein Plakat von 1947 wirbt für Fertighäuser.

A 1947 poster advertising prefabricated homes.

Une affiche de 1947 fait de la publicité pour des maisons préfabriquées.

## Fleiß und Sparsamkeit

Sind sie nun fleißig und sparsam, die Baden-Württemberger? Diese Tugenden kann man sicher überall registrieren, doch mit raffinierten Fragen an die Schwaben wollen Demoskopen bei ihnen einen höheren Grad an Sparsamkeit festgestellt haben. Auf jeden Fall ist es unbestritten, daß die meisten deutschen Bausparkassen in Württemberg ihre – man möchte fast sagen – angestammte Heimat haben. Um das Jahr 1920 ist die Idee des Bausparens hier „geboren" und erfolgreich in die Praxis umgesetzt worden. Die Häuslebauer-Mentalität, der Wille, unbedingt im eigenen Haus oder wenigstens in einer selbst erworbenen Eigentumswohnung zu leben, ist nicht auf eine Landeshälfte beschränkt, sondern

virtues are surely to be found everywhere, although opinion pollsters claim by dint of subtle questions to have found them to be more marked among the Swabians (or Württembergers). It is certainly true that most German building societies are based in Württemberg. The building society idea was "born" there in about 1920 and successfully implemented in Württemberg. The house-building mentality, the desire to live in a house (or at least an apartment) of one's own, is not limited to one half of Baden-Württemberg, however. It is an aim shared by many in all areas of the state.

The Swabians have been ridiculed in their time as penny-pinching Scots who emigrated because people in Scotland were not parsimonious enough for their liking. Be that as it may, these jibes are aimed at people who live in the Swabian Alb, the Alb-Vorland and on either side of the middle reaches of the River Neckar, or in other words people in Altwürttemberg, the former duchy, where a strict Protestant outlook prevailed. This was where a work ethic took shape that saw hard work and thrift as a value in its own right and, indeed, a religious merit mark. That may still live on among working people and be a locational advantage; it is certainly still reflected on the executive floors in the state's strikingly numerous

## Ardeur au travail et sens de l'économie

Sont-ils donc vraiment travailleurs et économes, ces Badois et ces Wurtembergeois? De telles vertus se retrouvent certainement partout, pourtant les démographes affirment, grâce à leurs questions pointues, les avoir décelées plus souvent chez les Souabes. Il est cependant incontestable que la plupart des caisses allemandes d'épargne-logement ont leur patrie d'origine dans le Wurtemberg. Ce n'est qu'aux alentours de 1920 que l'idée de l'épargne-logement est «née» ici et a été mise en pratique avec succès. La mentalité de petits constructeurs de maisons, la volonté de vivre à tout prix dans ses quatre murs, que ce soit une maison ou à défaut un appartement en propriété, ne se retrouvent pas seulement dans une moitié de la région, mais aussi dans toutes les contrées de ce Land.

Les Souabes font les frais de moqueries comme celle qui prétend qu'ils sont en fait des Écossais émigrés qui n'étaient pas assez satisfaits de l'économie régnant dans leur pays d'origine. Quoiqu'il en soit, aussi bien les habitants du Jura souabe, que ceux de ses contreforts et ceux des deux côtés du cours moyen du Neckar font les frais de ces plaisanteries, donc les gens du vieux Wurtemberg, c'est à dire de l'ancien duché marqué par

das Ziel vieler Menschen in allen Regionen.

Auch als ausgewanderte Schotten, denen es in ihrer Heimat nicht sparsam genug zugegangen sei, hat man die Schwaben schon verspottet. Wie auch immer, mit diesen Sticheleien sind die Bewohner der Schwäbischen Alb, des Alb-Vorlands und beiderseits des mittleren Neckars gemeint, also die Menschen in Altwürttemberg, im durch einen rigorosen Protestantismus geprägten einstigen Herzogtum Württemberg. Hier hatte sich eine Arbeitshaltung herausgebildet, die im „Schaffen" und im sparsamen Wirtschaften einen Wert an sich erkannte. Diese Tugenden mögen immer noch bei der arbeitenden Bevölkerung hochgehalten werden und ein Standortvorteil sein, sie haben aber ihre Entsprechung in den Chefetagen der auffallend starken mittelständischen Industrie.

## Ungleiche Brüder: Badener und Württemberger

Ein gemeinsames Bundesland gibt es nun seit einem halben Jahrhundert, aber existiert auch schon der Baden-Württemberger? Nein, so weit ist das Landesgefühl noch nicht gewachsen, der Einheitsbürger des Landes ist bestenfalls eine statistische Größe. Im Grunde fühlt man sich immer noch als Badener oder als Württemberger/Schwabe, auch wenn allen bewußt ist, daß

small and medium industrial enterprises.

## Unequal brothers: Badeners and Württembergers

The single state has been in existence for half a century, but is there yet such a thing as the Baden-Württemberger? No, the sense of unity has yet to extend as far as any such sense of identity. The state's unitary citizen is at best a statistical entity. Basically, people still see themselves as Badeners or as Württembergers/Swabians even though they all realise that they live in one federal state. A large number of organisations exist that are based on the states of old. Several sports associations are still one or the other, choirs are members of either the Baden or a Swabian Sängerbund, or Choral Association, and there is a Swabian Association just as there is a Baden Association. The churches too retain their separate entities of old. The Catholics have their archdiocese of Freiburg and their diocese of Rottenburg-Stuttgart, the Protestants their Baden and Württemberg state churches respectively.

The economic strength of the Greater Stuttgart area and the state capital's power of attraction where state authorities and other central institutions are concerned is viewed critically in Karlsruhe and environs. Since political unifica-

un protestantisme rigoriste. Un état d'esprit s'était formé, pour qui les valeurs suprêmes étaient le labeur soutenu et l'économie domestique, quasiment des vertus religieuses. Ceci a encore ses répercussions dans la population active et présente un avantage certain pour attirer les employeurs, et laisse même des traces dans les bureaux de la direction des moyennes entreprises, fortement représentées dans l'industrie.

## Badois et Wurtembergeois, frères dissemblables

Le Land commun aux Badois et aux Wurtembergeois existe depuis maintenant une cinquantaine d'années, mais existe-t-il l'espèce «Bade-Wurtembergeois»? Non, le sentiment régional ne s'est pas encore développé à ce point, le citoyen «unifié» est tout au plus une entité statistique. En fait, on se sent encore et toujours Badois ou Wurtembergeois/Souabe, même si tous sont conscients, qu'ils vivent tous ensemble dans un même Land fédéré. Il existe encore toute une série d'organisations qui reposent sur la séparation des anciennes régions, de nombreux clubs sportifs sont séparés en clubs badois et en clubs wurtembergeois, les chorales sont encore chapeautées les unes par une union des chanteurs badois et les autres par une union des chanteurs souabes, et la ligue

sie in einem Bundesland wohnen. Es bestehen ja auch noch eine ganze Reihe von Organisationen, die auf der Basis der alten Länder aufgebaut sind: Etliche Sportverbände sind in „badisch" und „württembergisch" aufgeteilt, es gibt nach wie vor einen Badischen und einen Schwäbischen Sängerbund, und dem Landesverein Badische Heimat steht ein Schwäbischer Heimatbund gegenüber. Nicht zuletzt haben die Kirchen die überkommene Einteilung bewahrt: hier die Erzdiözese Freiburg, dort das Bistum Rottenburg-Stuttgart bei den Katholiken, hier die badische und dort die württembergische Landeskirche bei den Protestanten.

Die wirtschaftliche Potenz des Großraums Stuttgart und die Sogwirkung der Landeshauptstadt mit ihren Landesbehörden und anderen zentralen Einrichtungen wird in Karlsruhe und Umgebung kritisch gesehen. Nach der politischen Einigung, deren Sinn im Ernst niemand mehr bezweifelt, ist in letzter Zeit eine neue „Badenfrage", eine besondere, emotional aufgeladene Identifikation mit dem langgestreckten Land zutage getreten. Vor Jahren sah man vor allem in Südbaden auf vielen Autos den Aufkleber: „Über Baden lacht die Sonne, über Schwaben die ganze Welt." Bei anderen Sprüchen dieser Art wurde aus „sympathisch" ein „sym-badisch". Doch mittlerweile sind die Verknüpfungen hin

tion, the sense of which no-one seriously questions any longer, signs of a new "Baden Question," a special, emotionally charged identification with the elongated state of yesteryear, have arisen. Years ago, especially in southern Baden, many cars sported stickers with the slogan Über Baden lacht die Sonne, über Schwaben die ganze Welt (The sun smiles on Baden, the whole world laughs about Swabia). Another slogan was based on the non-existent word symbadisch, which combined a dialect pronunciation of badisch (from Baden) and sympathisch (likeable). In the meantime, however, links between the two are such a matter of course that a Badener can become a mayor in Württemberg or a Württemberger a mayor in Baden without much of an upset. Such animosities and prejudices as survive are mainly voiced as a deliberate, but more or less friendly jibe at each other in bars, at club meetings and at times even on official occasions. Speakers who are adept at poking fun at "them," the others, can be sure of raising a laugh – and just as sure that the compliment will be returned.

From the background, beneath this twin-track mentality with Baden on one side and Swabia on the other, regional connections shine through everywhere, and over the past 50 years a number of regions have really come into their

patriotique badoise (Landesverein Badische Heimat) fait pendant à la ligue souabe (Schwäbischer Heimatbund). Les Églises ne sont pas les dernières à avoir maintenu la séparation traditionnelle: pour les catholiques d'un côté l'archidiocèse de Fribourg en Brisgau, de l'autre l'évêché Rottenburg-Stuttgart, et pareillement pour les protestants l'Église régionale de la Bade et celle du Wurtemberg.

La puissance économique de la métropole de Stuttgart et le magnétisme de la capitale du Land auprès des administrations et autres organismes centraux sont vus d'un œil critique à Karlsruhe et dans ses environs. Après l'union politique, dont le sens n'est remis en question par personne, une nouvelle aspiration, chargée d'émotion, a vu le jour ces derniers temps, celle de la Bade, ce pays allongé, à ce qu'on reconnaisse son identité propre. Il y a quelques années, on pouvait lire sur des autocollants sur de nombreuses voitures surtout dans la Bade du sud: «C'est le soleil qui rit sur la Bade, mais c'est le monde entier qui rit des Souabes». D'autres bons mots de ce genre ont fait du mot «sympathisch» (sympathique) un «sym-badisch» (sym-badois). Et pourtant entretemps les liens sont devenus tellement évidents que, sans faire de vagues, un Badois peut devenir maire d'un village ou d'une ville dans le Wurtemberg, et réciproque-

und her so selbstverständlich, daß ohne großes Aufheben Badener in Württemberg und Württemberger in Baden Bürgermeister oder Oberbürgermeister werden können. Animositäten und möglicherweise noch vorhandene Vorurteile werden meist nur noch als bewußtes Sticheln vorgetragen: am Stammtisch in den Wirtschaften, bei Vereinsfeiern und manchmal sogar bei offiziellen Anlässen. Wer seine Pointen gegenüber den „Andersartigen" gekonnt vorträgt, der hat die Lacher auf seiner Seite und muß nicht lange auf einen Konter warten.

In dem dualistisch gezeichneten Bild der Mentalitäten – hier badisch, dort schwäbisch – schimmern im Untergrund überall landschaftliche Bezüge durch. Dabei haben in den vergangenen 50 Jahren einige Regionen mit ihrem Selbstverständnis richtig Karriere gemacht. Das beginnt im Nordwesten, im Kraftfeld Mannheim-Heidelberg, mit der Kurpfalz, die als historisches Gebilde vor 200 Jahren von der Landkarte verschwunden ist. Ein starkes einigendes Band bildet dabei die fränkische Mundart, das Kurpfälzische. Die Region Mittelbaden mit Karlsruhe als Zentrum versteht sich als Wissenschaftsregion. Weiter südlich in der Rheingegend bildet Freiburg den Mittelpunkt für Südbaden, das in Richtung Elsaß und Nordschweiz schaut. Ein starkes Eigenbewußt-

own. They start in the north-west of the state, in the Mannheim-Heidelberg force field, including the Kurpfalz or electoral principality of the Palatinate, which ceased to exist as a historic entity 200 years ago. A powerful, unifying bond in this area is Kurpfälzisch, the local Franconian dialect. Central Baden, the area around Karlsruhe, sees itself as a centre of science. Further south along the Rhine, Freiburg is the focal point of South Baden, which is strongly geared toward France's neighbouring Alsace and northern Switzerland. In Upper Swabia, the region extending from the Danube to Lake Constance, a strong sense of local identity exists. This is a predominantly Catholic area with baroque traditions. In the Ostalb region with Aalen and Heidenheim as its chief towns, people likewise share a uniform viewpoint that is no respecter of administrative borders, while in Hohenlohe, where Franconian dialect is spoken, people strongly object to being called Swabians.

### "We can do everything – except speak Hochdeutsch (standard German)"

This is an advertising slogan that the government in Stuttgart has adopted for the south-western state, and as slogans go, it has proved highly successful. Whatever

ment un Wurtembergeois dans la Bade. Les animosités, les quelques préjugés qui persistent encore ne trouvent plus leur expression que sous la forme de blagues au café, aux fêtes des clubs sportifs et parfois même encore lors de manifestations officielles. Celui qui sait faire preuve d'humour pour souligner les différences est sûr d'avoir les rieurs de son côté, mais la riposte de la partie adverse ne fera jamais long feu.

Et si un certain dualisme existe au niveau des mentalités – d'un côté une mentalité badoise, de l'autre une mentalité souabe – , des particularités régionales viennent s'y greffer en plus. Certaines régions ont réussi à se profiler ces 50 dernières années grâce à l'image qu'elles se sont données. A commencer au nord-ouest, à Mannheim-Heidelberg, par le Palatinat, une entité historique disparue il y a 200 ans. Un lien puissant est le dialecte de Franconie, dit aussi du Palatinat. La région de la Bade centrale avec Karlsruhe pour centre se considère comme une région de la science. Plus au sud dans le couloir du Rhin, Fribourg en Brisgau est le centre d'attraction pour la Bade du sud, qui se tourne résolument vers l'Alsace et le nord de la Suisse. La contrée entre le Danube et le lac de Constance dans la Haute Souabe, à majorité catholique et avec une tradition du baroque, a développé un fort sentiment de sa propre

sein hat sich zwischen Donau und Bodensee in Oberschwaben ausgebildet, eine mehrheitlich katholische Gegend mit barocken Traditionen. Auch auf der Ostalb mit den Mittelstädten Aalen und Heidenheim denkt man einheitlich über Verwaltungsgrenzen hinaus, und in Hohenlohe, wo schon Fränkisch gesprochen wird, setzt man sich energisch gegen das Schwäbische ab.

## „Wir können alles – außer Hochdeutsch"

Diesen Slogan hat die Landesregierung als Werbung für den deutschen Südwesten in Umlauf gebracht, und das sehr erfolgreich. Wie immer man zu diesem Spruch stehen mag – nicht alle Einheimischen bewerten ihn positiv –, Politiker wie Theodor Heuss, der erste Bundespräsident, oder Ministerpräsident Erwin Teufel sind vielen mit ihrer Diktion im Ohr, die unüberhörbar einen schwäbelnden Grundton erkennen läßt.

„Wir können alles – außer Hochdeutsch." Diese Aussage unterstellt doch, daß alle Bewohner des Landes nur Mundart oder Dialekt sprechen. Zwar existieren in Baden-Württemberg mit dem Alemannischen, dem Fränkischen und dem Schwäbischen drei Dialektgruppen, aber die Grenzen dieser Dialekte sind fließend. Im nördlichen Drittel des Landes – bis hin-

your personal opinion of the slogan may be, and not all local people see it as positive, many German-speakers will call to mind politicians such as Theodor Heuss, Germany's first federal president, or Baden-Württemberg state premier Erwin Teufel, and the unmistakable Swabian lilt of their spoken German.

"We can do everything – except speak Hochdeutsch" implies that everyone in the state speaks only dialect. True, Baden-Württemberg boasts in Alemannic, Franconian and Swabian three distinctive dialect groups, but their borders are by no means easily outlined. In the northernmost third of the state and as far south as Bruchsal near Karlsruhe, Heilbronn, Schwäbisch-Hall or Crailsheim, Rhenish or East Franconian is spoken. Further south, in the duchy of Swabia that declined and fell with the Hohenstaufen dynasty, Swabia and Swabian dialect begin, with Alemannic as a separate linguistic area that extends into Switzerland. It must nevertheless be borne in mind that the old border between Baden and Württemberg nowhere forms a linguistic border. A century and a half failed to have that effect. In Villingen-Schwenningen, a twin city set up in 1972 as an experiment, where one town used to be in Baden and the other in Württemberg, people in both talk Alemannic dialect, and not Swabian in one

identité. De même au Jura souabe oriental, avec ses villes moyennes telles que Aalen et Heidenheim, on pense pareil au-delà des barrières administratives et dans le Pays de Hohenlohe, où on parle déjà le dialecte de Franconie, on s'oppose énergiquement au souabe.

## «Nous pouvons/savons tout, sauf parler le haut allemand»

C'est le gouvernement du Land qui a propagé ce slogan pour faire de la publicité au sud-ouest allemand, et ceci avec succès, même si les avis sont partagés au sujet de ce slogan – tous les habitants de la région ne le trouvent pas à leur goût – mais c'est un fait que beaucoup d'entre nous ont dans l'oreille l'intonation typiquement souabe d'hommes politiques tels que Théodore Heuss, le premier président allemand, ou Erwin Teufel, ministre-président.

«Nous pouvons/savons tout, sauf parler le haut allemand». Cette phrase semble vouloir faire croire que tous les habitants de cette région ne parlent que le patois ou un dialecte. Il existe bien dans le Bade-Wurtemberg trois groupes de dialectes: alémanique, franconien et souabe, mais la frontière entre ces dialectes n'est pas facile à tracer. Dans un tiers du pays, du nord en redescendant jusqu'à Bruchsal près de Karlsruhe, à Heilbronn,

Theodor Heuss (1884–1963) war erster Bundespräsident von 1949–1959.

Theodor Heuss, 1884–1963, was Germany's first federal president from 1949 to 1959.

Theodor Heuss (1884–1963), était le premier président fédéral de 1949 à 1959.

Erwin Teufel ist seit dem 22. Januar 1991 Ministerpräsident und „Landesvater" von Baden-Württemberg.

Erwin Teufel has been prime minister and "sovereign lord" of Baden-Württemberg since 22 January 1991.

Erwin Teufel est ministre-président et «père du Land» de Bade-Wurtemberg depuis le 22 janvier 1991.

unter nach Bruchsal bei Karlsruhe, in Heilbronn, Schwäbisch Hall oder Crailsheim wird Rheinfränkisch oder Ostfränkisch gesprochen. Erst weiter südlich beginnen das mit den Staufern untergegangene Herzogtum Schwaben und das Schwäbische, in dem das Alemannische eine eigene Sprachlandschaft besitzt, die sich in der Schweiz fortsetzt. Doch es gilt zu bedenken: Nirgendwo ist die Grenze der alten Staaten Baden und Württemberg auch eine Sprachgrenze. Um das zu erreichen, haben 150 Jahre Prägekraft nicht ausgereicht. In der badisch-württembergischen Doppelstadt Villingen-Schwenningen, 1972 als Modellfall geschaffen, wird in beiden Stadthälften Alemannisch parliert, und nicht etwa hier Alemannisch und dort Schwäbisch. Doch wenigstens entspringt

and Alemannic in the other. Yet the Schwenninger Moor includes the source of the Neckar, Swabia's "national river," which flows through Franconian- and Kurpfälzisch-speaking areas on its way to the Rhine, which it joins in Mannheim.

Germany's good food guides award most of their stars to restaurants in Baden-Württemberg, and more in Baden than in Württemberg. This tallies with the popular judgement that people who live along the Rhine, which for much of its course forms the border between Germany and France, are more likely than the more reserved Swabians to abide by the motto "live and let live." The positive side of the Baden way of life goes further. People from the region that extends from Freiburg to Heidelberg are perceived as a little more

Schwäbisch Hall et Crailsheim, c'est le dialecte de Franconie, encore appelé de la région rhénane ou de l'est. C'est plus au sud qu'on parle le souabe, dans l'ancien duché souabe des Hohenstaufen, dans lequel une poche parle le dialecte alémanique, ce dernier se retrouvant en Suisse. Mais il ne faut pas oublier que nulle part les frontières des anciens pays de Bade et du Wurtemberg correspondent à une frontière linguistique. 150 ans d'appartenance au duché ou au royaume n'auront pas suffi pour obtenir ce résultat. Dans la ville badoise Villingen et la ville wurtembergeoise Schwenningen, fusionnées en 1972 à titre d'exemple, on ne parle que le dialecte alémanique, et non pas ce dialecte dans une moitié et le souabe dans l'autre. Pourtant le Neckar, fleuve

Solch kunstvoll geschmiedete „Ausleger" der Wirtshäuser erregen früher wie heute Aufmerksamkeit. Baden-Württemberg lockt mit einer Vielzahl von Landgasthöfen und Gourmetadressen.

These ornate wrought-iron inn signs attract attention today just as they did in the past. Baden-Württemberg's attractions include an abundance of country inns and gourmet restaurants.

De telles enseignes ouvragées devant les auberges attiraient autrefois l'attention et continuent de le faire. Le Bade-Wurtemberg est riche en restaurants de campagne et en bonnes adresses culinaires.

im Schwenninger Moor der Neckar, der „Nationalfluß" Schwabens, bis er sich durch das Fränkische und Kurpfälzische dem Rhein nähert, in den er in Mannheim mündet.

Die gastronomischen Führer verteilen in Deutschland die meisten Sterne an baden-württembergische Restaurants, und hier wieder mehr an badische als an württembergische. Das paßt zu der gängigen Einschätzung, daß die Bewohner entlang dem Rhein, der über eine weite Strecke hinweg

urbane, more cosmopolitan, easier-going, more liberal and more tolerant than neighbouring Württembergers. And while many Swabians from Ludwigsburg to Friedrichshafen share a sense of wanderlust that sends them out in the world at large, they are just as fond of staying at home and are direct and down-to-earth but by no means unfriendly, although at times they may seem to be loners weighed down by their thoughts, narrow-minded and strict toward themselves and others. The Swabian

«régional» de la Souabe, prend sa source dans le marais de Schwenningen et traverse la Franconie et le Palatinat en direction du Rhin dans lequel il se jette à Mannheim.

En Allemagne, c'est au Bade-Wurtemberg que les guides culinaires attribuent le plus grand nombre d'étoiles, en encore plus à la Bade qu'au Wurtemberg. Cela confirme l'opinion générale que les habitants le long du Rhin, qui forme la frontière avec la France sur bien des kilomètres, savent mieux vivre que les Souabes plus

die Grenze zu Frankreich bildet, eher als die zurückhaltenderen Schwaben nach dem Motto handeln: Leben und leben lassen! Die Positivliste badischer Lebensart ist noch fortzusetzen: Als urban, weltoffen, locker, liberal und tolerant gelten die Menschen zwischen Freiburg und Heidelberg, zumindest als ein wenig urbaner, weltoffener, lockerer, liberaler und toleranter als die württembergischen Nachbarn. Viele Schwaben zwischen Ludwigsburg und Friedrichshafen plagt das Fernweh, das sie in die Welt hinaustreibt, doch genau so gerne sind sie zu Hause und geben sich direkt und deftig, aber nicht unfreundlich, zeigen sich manchmal als gedankenschwere Einzelgänger, eng und streng gegen sich und andere. Die schwäbische „Kehrwoche", die unter den Mietparteien eines Anwesens die Reinigungspflichten minutiös regelt, ist von Auswärtigen schon oft belächelt, von den Betroffenen jedoch immer schweigend erduldet worden.

## Festkalender für das ganze Jahr

Blättert man in einem der dicken Verzeichnisse über Feste und Feiern im Land, so wird man keinen Unterschied zwischen hüben und drüben ausmachen können. Ob weltoffener oder mit der Kehrwoche belastet, man gibt sich heimatverbunden und feiert allenthalben

Kehrwoche, or week when a tenant in an apartment block is responsible for keeping the staircase and/or pavement clean, has often been ridiculed by outsiders, but the parties to whom it applies abide by it in silence.

## Year-round calendar of festivities

Leaf through one of the bulky catalogues of festivals and festivities in Baden-Württemberg and you will fail to find any distinction between one and the other. No matter whether they are more cosmopolitan or burdened by the Kehrwoche, Badeners and Württembergers feel a strong sense of identity with the area where they live and are fond of celebrating at length whenever the opportunity arises. There is no place in the state that does not have at least once a year a market fair, a church festival or a wine festival such as the Heilbronner Herbst or the Breisgauer Weinfest, quite apart from the countless street festivals. Of late, Christmas fairs have been very popular, but none can look back on such a longstanding tradition as Stuttgart's, which dates back to 1692 as the Christkindlesmarkt.

Growing popularity is enjoyed by historical festivals too, such as the Peter- und Paulsfest in Bretten, near Karlsruhe, where the late Mid-

réservés, en ayant pour devise: vivre et laisser vivre! On peut allonger la liste des qualités des Badois bons vivants: urbains, ouverts sur le monde extérieur, décontractés, libéraux et tolérants, c'est ainsi qu'ils sont appréciés entre Fribourg en Brisgau et Heidelberg, en tout cas un peu plus urbains etc. que leurs voisins wurtembergeois. Certes bien des Souabes entre Ludwigsburg et Friedrichshafen éprouvent le besoin de courir le monde, mais ils aiment tout autant rester chez eux et se montrent directs voire crus, sans être pour autant déplaisants, parfois solitaires méditatifs, à l'esprit étriqué et sévères envers eux-mêmes et envers les autres. La tradition souabe de la «Kehrwoche», qui partage minutieusement entre tous les locataires d'un immeuble les travaux de balayage et nettoyage des parties communes, fait sourire ceux qui viennent de l'extérieur, mais est suivie sans discussion par les personnes concernées.

## Calendrier des festivités pour toute l'année

Si on feuillette les épais calendriers des «festivités dans la région», on ne remarque aucune différence entre les deux régions de ce Land. Qu'on soit ouvert sur le monde extérieur ou astreint à la corvée de balayage, on est dans tous les cas attaché à sa patrie et on aime célé-

Über Pfingsten wird in Schwäbisch Hall das Salzsieder-
fest gefeiert. Höhepunkt sind die mittelalterlichen Ge-
richtsszenen, hier wird ein betrügerischer Bierbrauer in
ein Faß mit Gülle getaucht.

The salt-makers' festival is held over Whitsun in
Schwäbisch Hall. Its highlights include mediaeval court

scenes such as this one in which a fraudulent brewer is
ducked in a vat full of slurry.

A la Pentecôte, Schwäbisch Hall célèbre la fête des sauniers. Les scènes de justice au Moyen-Age suscitent particulièrement l'intérêt: ici un brasseur frauduleux est
plongé dans une barrique de lisier.

gerne und ausdauernd. Kein Ort ist
zu finden, an dem nicht wenigstens einmal im Jahr ein Markt, eine Kirchweihe, ein Weinfest – etwa
der Heilbronner Herbst oder das
Breisgauer Weinfest in Freiburg –
stattfindet, ganz abgesehen von
den zahllosen Straßenfesten. In
jüngster Zeit haben Weihnachts-
märkte Konjunktur, wobei keiner
so alt ist wie der Stuttgarter, der
schon seit 1692 als „Christkindlesmarkt" bezeugt ist.

Starken Zulauf weisen die historischen Feste auf, so nordöstlich
von Karlsruhe in Bretten das Peter-
und-Pauls-Fest, wo in Erinnerung
an eine abgewehrte Belagerung
das späte Mittelalter wieder leben-
dig wird. Über Pfingsten zeigen
sich in der einstigen Salzstadt
Schwäbisch Hall die Nachkommen
der Sieder in Trachten und mit Tän-

dle Ages are re-created in memory
of a successful defence of the
town when it was under siege.
Over Whitsun, descendants of the
salt-makers of old descend on the
former salt city of Schwäbisch Hall
wearing mediaeval costumes and
dancing through the streets. In another former imperial free city,
Ulm, Schwörmontag is celebrated
on a Monday at the end of July. It is
the day when the city's subjects
swore allegiance and the day on
which the Nabade, a colourful parade of ships, can be admired on
the Danube. At the end of August
shepherds and shepherdesses converge on Markgröningen, north of
Stuttgart, for the Schäferlauf, a race
watched by thousands, in which
the king and queen of the shepherds are decided. Religious festivals include the Weingarten

brer comme il se doit toutes les
fêtes qui se présentent. Il n'y a pas
un village où, au moins une fois
par an, on ne célèbre une fête pa-
tronale, une foire comme celles
aux vins – par exemple à Heilbronn, «Heilbronner Herbst» ou à
Fribourg, «Breisgauer Weinfest» –
sans parler des innombrables fêtes
de rues. Depuis quelques temps les
marchés de Noël ont un succès
croissant, mais aucun n'a une tradition aussi ancienne que celui de
Stuttgart qui remonte à 1692 sous
le nom «Christkindlesmarkt», le
marché de l'enfant Jésus.

Les fêtes historiques attirent de
plus en plus le public, telles que la
fête de Pierre et de Paul à Bretten
au nord-est de Karlsruhe qui fait re-
vivre le haut Moyen-Age en souve-
nir d'un siège de la ville repoussé
avec succès. A la Pentecôte, les
descendants des sauniers défilent
vêtus des costumes traditionnels
et dansent dans les rues de l'ancienne ville saline de Schwäbisch
Hall. Et Ulm, ancienne ville impériale, célèbre fin juillet le «Schwörmontag», le lundi du serment, autrefois fête que donnaient les
sujets en hommage à leur seigneur; c'est l'occasion d'admirer
sur le Danube la «Nabade», un cor-
tège bariolé de bateaux. Les ber-
gers et bergères du pays se rencon-
trent fin août à Markgröningen, au
nord de Stuttgart, pour briguer une
couronne de roi ou de reine après
le «Schäferlauf», une course à la-

Das Cannstatter Volksfest um 1835: Menschen aller Stände vor einem Kasperl-Theater. Links davon die Fruchtsäule, bis heute das Symbol dieses Volksfestes.

An 1835 illustration of the Cannstatt fair showing people from all walks of life watching a Punch and Judy show. On the left is the pillar of fruit that to this day is the fair's emblem.

La fête populaire de Cannstatt vers 1835: des représentants de toutes les couches sociales devant un théâtre de marionnettes. A gauche, la colonne des fruits de la terre, qui est le symbole de cette fête.

zen. In einer anderen Reichsstadt, in Ulm, begeht man Ende Juli den Schwörmontag, ehemals die Huldigungsfeier der Untertanen; zugleich ist das „Nabade" (das „Hinunterbaden") zu bewundern, ein bunter Schiffskorso auf der Donau. Ende August treffen sich nördlich von Stuttgart in Markgröningen die Schäfer und Schäferinnen des Landes, um in einem von Tausenden verfolgten Wettlauf, dem „Schäferlauf", König und Königin zu ermitteln. Zu den religiösen Festen zählt der Weingartener Blutritt, die größte Prozession dieser Art in Süddeutschland: Am Freitag nach Himmelfahrt folgen rund 2500 dunkel gekleidete Reiter dem Pater und einer Heiligblutreliquie.

Blutritt, the largest procession of its kind in southern Germany. On the Friday after Ascension about 2,500 horsemen dressed in black follow the priest and a relic of the Holy Blood.

Without doubt the most popular attraction in Baden-Württemberg is the Cannstatt Volksfest on the banks of the Neckar just outside Stuttgart. First held in late-September and early-October 1818 by King Wilhelm I of Württemberg to give farming a boost, it has long been a full-scale funfair with a giant wheel, beer tents and countless funfair attractions. With about four million visitors a year, the Cannstatt Volksfest ranks second only to the Munich Oktoberfest

quelle assistent des milliers de spectateurs. Parmi les fêtes religieuses, citons le «Blutritt» à Weingarten, la plus grande procession de ce genre en Allemagne du sud: le vendredi après l'Ascension, 2500 cavaliers vêtus de couleurs sombres suivent le prêtre avec une relique du saint sang.

La «Cannstatter Volksfest», fête populaire aux portes de Stuttgart et au bord du Neckar, remporte tous les suffrages. Elle a été instaurée en 1818 par le roi Guillaume Ier pour aider l'agriculture de cette contrée, et est devenue depuis bien longtemps parc d'attraction avec sa grande roue, des tentes sous lesquelles on sert la bière et d'innombrables autres attractions

Den unbestreitbar stärksten Magnet im Land bildet vor den Toren Stuttgarts am Neckarufer das Cannstatter Volksfest. 1818 von König Wilhelm I. gestiftet, um der Landwirtschaft aufzuhelfen, ist es Ende September/Anfang Oktober längst zum Vergnügungsplatz mit Riesenrad, Bierzelten und zahllosen Attraktionen der Schausteller geworden. Mit ungefähr vier Millionen Besuchern behauptet das Cannstatter Volksfest die zweite Position nach dem Münchner Oktoberfest in der ewigen Rangliste der deutschen Volksfeste.

## Närrisches Treiben: die schwäbisch-alemannische Fastnacht

Ein brauchtümliches Ereignis wird zeitgleich im gesamten Land gefeiert: Karneval oder Fastnacht. Im Norden sind mehrheitlich die Fürsten und Städte zu finden, die sich der Reformation angeschlossen und den „heidnischen Brauch" der Fastnacht erfolgreich bekämpft haben. Hier ist seit der Mitte des 19. Jahrhunderts hoch zu Roß Prinz Karneval eingeritten, lebhaft beklatscht von den Bürgern, und hat im Gefolge die rheinischen Gebräuche wie Wagenumzüge und Sitzungen mitgebracht. Im überwiegend katholischen Süden, in dem das Haus Habsburg als Schutzmacht des alten Glaubens regiert hat, haben sich altertümliche Fastnachtsbräuche erhalten.

among German festivals of its kind.

## The carnival season: Swabian-Alemannic Fastnacht

The carnival or Fastnacht season is celebrated simultaneously throughout the state. In the north, princes and cities predominated that endorsed the Reformation and successfully fought the "heathen practice" of Fastnacht. There, since the mid-nineteenth century, the carnival prince has ridden into town on horseback, applauded enthusiastically by local people and accompanied by Rhenish carnival traditions such as floats, processions and indoor sessions. In the mainly Catholic south, where the Habsburg dynasty ruled and old beliefs survived, ancient Fastnacht customs live on.

In the Fastnacht-oriented south you can, of course, run around with a false nose or a sailor's cap, but if you keep to the old traditions you must choose between just the few forms of fancy dress that are customary in your locality. Sometimes, indeed, only one disguise will be available. Dressed as a jester or a witch you will be totally unrecognisable to people on the street or in cafés and inns. You will usually wear a painted wooden mask and a jacket and trousers that are either painted or covered in patches of material. And when you

proposées par les marchands forains, quand la fête attire fin septembre/début octobre près de quatre millions de visiteurs et occupe, après celle de la bière à Munich, la deuxième place au palmarès des fêtes populaires allemandes.

## L'animation des bouffons: le carnaval souabe-alémanique

Une coutume fait l'unanimité dans toute la région: le carnaval du mardi gras. Au nord, où pourtant la majorité des princes et des villes s'étaient convertis à la Réforme protestante et opposés victorieusement à cette «coutume païenne», le carnaval a fait son retour triomphal dès le milieu du XIXe siècle, acclamé par les citoyens, et a même introduit les coutumes rhénanes telles que cortèges de chars et séances de carnaval. Dans le sud à majorité catholique, où les Habsbourg se sont posés en protecteurs de l'ancienne croyance, les très anciennes coutumes du carnaval se sont maintenues.

Dans le sud on peut naturellement fêter le carnaval en se déguisant d'un nez de clown ou d'une casquette de marinier, mais celui qui respecte les traditions de la localité où il vit, n'a souvent que le choix entre très peu d'accessoires habituels dans cette localité, parfois même il n'en existe qu'un. Déguisé en bouffon ou en sorcière, il

In Waldkirch bei Freiburg springen an Fastnacht die Kandelhexen mit ihren Besen übers Feuer.

In Waldkirch the Kandelhexen witches jump over the fire on their brooms on Fastnacht.

A Waldkirch, les sorcières sautent la nuit de mardi-gras avec leurs balais au-dessus du feu.

Der Rottweiler Narrensprung ist jedes Jahr ein Höhepunkt der schwäbisch-alemannischen Fastnacht. Ein Federehannes, dessen Gewand mit Vogelfedern besetzt ist, zeigt ausgelassene Sprünge.

The Rottweil Jesters' Leap is an annual highlight of the Swabian-Alemannic Fastnacht season. A Federehannes

wearing a coat of feathers jumping around exuberantly with his broom.

L'attraction principale du carnaval souabe-alémanique est chaque année la cavalcade des fous à Rottweil. Un «Federehannes», dont le costume est couvert de plumes, présente ses sauts débridés.

Im fastnächtlich orientierten Süden kann man natürlich auch mit Pappnase oder Schiffermütze herumlaufen, doch wer sich Sitte und Brauch fügt, der kann nur unter wenigen im Ort üblichen Verkleidungen wählen, manchmal steht ihm sogar nur eine einzige zur Verfügung. Als Narr oder als Hexe ist er dabei für seine Mitmenschen auf der Straße oder in Cafés und Gasthäusern nicht mehr zu erkennen. Das Kostüm besteht meist aus einer geschnitzten Holzmaske und bemalten oder mit Stoffflecken besetzten Jacken und Hosen. Wenn man weiß, daß es mindestens 1500 Narrenvereine und Narrenzünfte gibt und deren Zahl von Jahr zu Jahr zunimmt, so kann man sich – trotz aller örtlicher Einheitlichkeit – das bunte Bild vorstellen, das sich bei den beliebten Nar-

bear in mind that there are at least 1,500 carnival guilds and societies and that their numbers are growing by the year, you can imagine what a colourful sight the popular carnival celebrations are all over the state despite uniformity from place to place.

January 6, the Feast of Epiphany, is when the carnival season begins down south. From a slow start it gains momentum until, on the Thursday before Shrove Sunday, there is no holding the traditionally disguised revellers. Schoolchildren are "liberated" and teachers are pushed toward the local inn for a Frühschoppen, or morning drink. Mayors are dismissed and the elaborate carnival equivalent of the maypole is erected. The jesters of Stockach sit in judgement on prominent politicians. From Shrove

ne sera pas reconnu dans la rue ou dans les cafés par ses concitoyens, car il porte souvent un masque en bois peint, une veste et un pantalon teints ou rapiécés de tissus de toutes les couleurs. Il suffit de se rappeler qu'il existe au moins 1500 clubs et comités de préparation du carnaval et que leur nombre augmente d'année en année, pour se représenter l'animation bigarrée de ces rencontres de bouffons dans toute la région, en dépit de l'uniformité qui règne dans certaines localités.

Le jour des rois, le 6 janvier, marque le début officiel du carnaval, qui démarre d'abord timidement. Mais dès le jeudi avant le mardi gras, les personnages traditionnellement masqués ne connaissent plus aucune retenue. Ils libèrent les écoliers de leurs obli-

rentreffen landauf und landab ergibt.

Am Dreikönigstag, dem 6. Januar, beginnt die Zeit der Narren. Erst noch verhalten, doch am Donnerstag vor Fastnachtssonntag sind die traditionell vermummten Gestalten nicht mehr zu bändigen. Da werden Schüler „befreit" und Lehrer zum Frühschoppen gedrängt, da werden Bürgermeister abgesetzt und Narrenbäume aufwendig aufgerichtet, da halten die Stockacher Narren Gericht über Polit-Prominente. Vom Fastnachtssonntag bis zum Dienstag kann man die herrlichen Figuren bei Umzügen und Narrensprüngen in ihren Heimatorten bewundern, in Oberndorf und Rottweil, in Villingen und Donaueschingen, in Freiburg und in Überlingen, um nur einige Städte mit reicher und lebendiger Tradition zu nennen. Stolz präsentieren sich die Narren in der Öffentlichkeit und lassen ihre Bronzeglocken zu den Rhythmen der Narrenmärsche rollen. In das Wehgeschrei zu Beginn des Aschermittwochs mischt sich die Gewißheit, daß spätestens in zehn Monaten die nächste närrische Saison beginnt, euphorisch als fünfte Jahreszeit bezeichnet.

Sunday to the following Tuesday magnificent carnival figures can be admired in processions all over the state, in Oberndorf and Rottweil, in Villingen and Donaueschingen, in Freiburg and Überlingen, to name but a few towns with a rich and living carnival tradition. The jesters proudly parade in public, ringing their bronze bells to the rhythm of the jesters' processions. The lamentation that ushers in Ash Wednesday is mixed with the certainty that the next carnival season, euphorically known as the fifth season of the year, will start in ten months' time at the latest.

gations scolaires et persuadent les professeurs d'aller trinquer avec eux dès le matin, ils démettent les maires de leurs fonctions, ils dressent des arbres du carnaval en se donnant beaucoup de peine. Les bouffons de Stockach font le procès des hommes politiques en vue. Du dimanche au mardi de carême, on peut admirer de superbes personnages dans les cortèges et lors des cabrioles de bouffons dans les rues de leurs villes, à Oberndorf et Rottweil, à Villingen et Donaueschingen, à Fribourg en Brisgau ou à Überlingen, pour ne nommer que quelques-unes des villes riches en traditions encore bien vivantes. Les bouffons sont fiers de se montrer en public et font sonner leurs cloches en bronze au rythme des marches de carnaval. Et même au milieu des lamentations du mercredi des cendres, reste toujours la certitude qu'au plus tard dans dix mois recommencera le prochain carnaval, qualifié parfois avec euphorie de cinquième saison.

Die Alte Brücke über den Neckar verbindet die Heidelberger Altstadt mit der Bergstraße. Zwischen den barock überarbeiteten Rundtürmen steht ein frühklassizistischer Torbau.

The Alte Brücke over the Neckar links Heidelberg's Altstadt and the Bergstrasse highway. An early classical gateway stands between round towers with Baroque additions.

Le Vieux Pont sur le Neckar relie la vieille ville d'Heidelberg à la Bergstraße. Entre les tours remaniées dans le style baroque, un portail du néo-classicisme.

Von Heidelberg bis Baden-Baden

From Heidelberg to Baden-Baden

De Heidelberg à Baden-Baden

Die studentischen Korporationen, die farbentragenden und schlagenden Verbindungen, waren in Heidelberg traditionell sehr stark. Hier ein Kommers auf dem Schloß, um 1930.

Student corporations, whose members fence and wear uniforms, have always been strongly represented in Hei-

delberg. Corps students are here seen drinking on the castle in about 1930.

Les corporations estudiantines, les confréries portant leurs couleurs et aux traditions de joutes, ont toujours joué un rôle important à Heidelberg. Ici une réunion de corporation d'étudiants au château vers 1930.

In seinem Unterlauf bahnt sich der Neckar in vielen Windungen seinen Weg durch den roten Sandstein des Odenwalds. An der Stelle, wo der Fluß in die Rheinebene tritt, liegt Heidelberg, eine Großstadt mit der ältesten Universität Deutschlands, 1386 gegründet. Genau 400 Jahre später begann man mit dem Bau der vielbogigen Alten Brücke über den Neckar, die die enge Altstadt samt der spätgotischen Heiliggeistkirche mit der Bergstraße verbindet. Heidelberg, dessen Schönheit Dichter wie Joseph von Eichendorff, Clemens von Brentano oder Achim von Arnim im 19. Jahrhundert priesen, gilt als der Inbegriff des romantischen Deutschland. Beim Spaziergang auf dem Philosophenweg mit Blick über den Neckar, die pittoreske Altstadt und auf das Schloß

On its lower reaches the River Neckar winds its way through the red sandstone of the Odenwald to Heidelberg, where it enters the plains of the Rhine Valley. Heidelberg is the city with the oldest university in Germany, founded in 1386. Precisely 400 years later, work began on the many-arched Alte Brücke that spans the Neckar and links the Altstadt and the late Gothic church Heiliggeistkirche with the Bergstrasse. Heidelberg is considered to epitomise romantic Germany. In the nineteenth century, poets such as Joseph von Eichendorff, Clemens von Brentano and Achim von Armin praised the city's beauty in verse. When you walk along the Philosophenweg with its view of the river and the picturesque Altstadt you will to this day be

Dans sa partie inférieure, le Neckar fraie son chemin en serpentant à travers le grès rouge de l'Odenwald. A l'endroit où ce fleuve pénètre dans la plaine du Rhin, est située Heidelberg, une grande ville avec la plus ancienne université d'Allemagne, fondée en 1386. C'est exactement 400 ans plus tard qu'on entreprit la construction du vieux pont aux nombreuses arcades sur le Neckar, qui relie la vieille ville aux maisons tassées, y compris son église Heiliggeistkirche de style gothique tardif, avec la «Bergstraße», la rue des montagnes. Heidelberg passe pour être la ville romantique allemande par excellence, des écrivains tels que Joseph von Eichendorff, Clemens von Brentano ou Achim von Arnim ont loué au XIXe siècle la beauté de la ville. Le visiteur de nos jours lui aussi ne peut se soustraire au charme de cette ville, spécialement s'il se promène le long du Philosophenweg avec sa vue sur le Neckar, sur la vieille ville pittoresque et sur le château. Sur un promontoire du Königstuhl se dressent les ruines impressionnantes du château de Heidelberg et de ses corps de bâtiments en grès rouge de style Renaissance: elles exercent un attrait irrésistible sur les touristes, spécialement sur les Japonais et les Américains. Jusqu'en 1720, le château était la résidence des princes-électeurs.

Près de Mannheim, alors village

In der Heidelberger Schloßruine beeindruckt die Fassade des Ottheinrichsbaus, ab 1556 vom gleichnamigen Kurfürsten erbaut.

Amid the ruins of Heidelberg Schloss, the exterior of the Ottheinrichsbau, built from 1556 by the electoral prince of the same name, looks most impressive.

Dans les ruines du château de Heidelberg, la façade de l'édifice de l'aile d'Othon-Henri entreprise en 1556 par le prince-électeur du même nom, est toujours aussi impressionnante.

kann sich auch der heutige Besucher dem Reiz der Stadt nicht entziehen. Auf einem Bergvorsprung des Königstuhls erhebt sich eindrucksvoll die Ruine des Heidelberger Schlosses mit den sandsteinroten Renaissance-Bauten: ein Magnet für Touristen, vor allem für Japaner und Amerikaner. Bis 1720 war das Schloß Residenz der Kurfürsten.

Im Mündungswinkel von Rhein und Neckar haben nach 1600 die Kurfürsten von der Pfalz beim Fischerdorf Mannheim erst eine Festung, dann eine neue Residenz geschaffen. Die damalige Planung eines gitterförmigen Straßennetzes hat Mannheim den Beinamen „Quadratestadt" gebracht. Im kurfürstlichen Barockschloß ist die Universität untergebracht. Der Hauptbahnhof nebenan ist der Schnittpunkt etlicher Fernverbindungen. Mannheim ist mit seinen mehr als 300 000 Einwohnern die zweitgrößte Stadt in Baden-Württemberg, eine Arbeiter- und Industriestadt, in der auch die Musen ihren Sitz haben. So steht unweit der Kunsthalle und nicht weit vom markanten Wasserturm das Landesmuseum für Arbeit und Technik. Mannheim und Heidelberg bilden das Rückgrat der Kurpfalz, zu der auch Schwetzingen gehört, der ehemalige Sommersitz der Kurfürsten mit einer eindrucksvollen Parkanlage. Da in der Hofküche gerne Spargel verwendet wurde

charmed without fail by the city. On a promontory of the Königstuhl the ruins of Heidelberg's Schloss, or former palace, stand impressively. Its red sandstone buildings in the Renaissance style are a tourist magnet, especially for Japanese and American visitors. Until 1720 the Schloss served as the residence of the electoral prince.

At the confluence of the Rhine and the Neckar the electoral princes of the Palatinate built from 1600 near a fishing village by the name of Mannheim first a fortress, then a new palace. Mannheim owes to the grid pattern of its street layout the nickname Quadratestadt, or city on the square. The electoral prince's Baroque palace now houses the university. The adjoining main sta-

de pêcheurs à l'angle formé par la jonction du Rhin et du Neckar, les princes-électeurs du Palatinat ont d'abord fondé une forteresse au XVIIe siècle, puis une nouvelle résidence. Les plans de l'époque avec des rues agencées en damier, ont donné à Mannheim le surnom de «Quadratestadt», la ville aux carrés. L'université a été installée dans le château des princes-électeurs de style baroque. La gare centrale tout près est le point de jonction de nombreuses grandes lignes. Forte de plus de 300 000 habitants, Mannheim est la deuxième ville du Bade-Wurtemberg, une ville ouvrière et industrielle, dans laquelle les Muses aussi ont trouvé leur place. C'est ainsi que non loin de la Kunsthalle, le Musée des Beaux-Arts et de l'imposant château d'eau se trouve le Musée régional des Tech-

Vor dem Schloß in Schwetzingen legte der Pfälzer Kurfürst Carl Theodor um 1750 einen barock gestalteten Garten an und errichtete zu beiden Seiten elegante Zirkelbauten.

In front of the palace in Schwetzingen, Electoral Prince Carl Theodor of the Palatinate had a Baroque garden laid out in about 1750, adding elegant round buildings on either side.

Vers 1750, Carl Theodor, prince-électeur du Palatinat, fit aménager devant le château de Schwetzingen des jardins au goût baroque et fit ériger des deux côtés un hémicycle gracieux de dépendances.

und Boden und Klima dieses schmackhafte Gemüse hier besonders gut gedeihen lassen, ist der Spargel aus dieser Gegend weltberühmt geworden.

Die Rheinebene ist überwiegend Ackerland und Siedlungsfläche, doch auch der Wald hat sich behauptet. Mitten in einem Waldgebiet liegt die Rennstrecke des Hockenheim-Rings, mittlerweile jährlicher Treffpunkt des Formel-1-Zirkus. Am östlichen Rand der Ebene erhebt sich der Kraichgau, ein lößbedecktes fruchtbares Hü-

tion lies at the intersection of a number of long-distance rail links. With a population of over 300 000, Mannheim is Baden-Württemberg's second-largest city, a city of working people and industry that is also home to a number of museums. Not far from the Kunsthalle and a water tower that is one of the city's landmarks is the State Museum of Labour and Technology. Mannheim and Heidelberg are the heavyweights of the Kurpfalz region, which also includes Schwetzingen, with a palace and grounds,

niques et du Travail. Mannheim et Heidelberg sont les deux centres de gravité du Palatinat, duquel fait encore partie Schwetzingen, l'ancienne résidence d'été des princesélecteurs avec son superbe parc. Parce que les asperges étaient fréquemment servies à la table des princes, et que le sol et le climat sont favorables à la culture de ce savoureux légume, les asperges de cette région sont réputées dans le monde entier.

La plaine du Rhin est principalement une région de culture où les

Die Moschee im Schwetzinger Schloßgarten wurde als „Tempel der religiösen Toleranz" und als Symbol der Aufklärung im späten 18. Jahrhundert errichtet.

The mosque in Schwetzingen's palace garden was built in the late eighteenth century as a "temple of religious tolerance" and a symbol of the Enlightenment.

La mosquée dans les jardins du château de Schwetzingen a été construite à la fin du XVIIIième siècle comme symbole du siècle des lumières et pour être un «temple de la tolérance religieuse».

gel- und Bauernland. Hier liegen die Fachwerkstadt Eppingen und Sinsheim mit seinem besuchenswerten Auto- und Technikmuseum. In der Ebene verdient als nächstes Bruchsal unsere Aufmerksamkeit, wo die barocke Residenz der Fürstbischöfe von Speyer mit dem berühmten Treppenhaus von Balthasar Neumann in den Nachkriegsjahren wiederhergestellt worden ist.

Weiter südlich, bei Karlsruhe, reichen mit dem Pfinzgau die nördlichsten Ausläufer des Schwarz-

incorporating an impressive park, where the electoral princes used to spend the summer. Asparagus was a favourite summer dish at court, and as the soil and climate are particularly good for this tasty vegetable in this area, its asparagus is renowned all over the world.

The plains of the Rhine Valley consist mainly of farmland and settlements, but woodland has survived. The Hockenheim grand prix racetrack nestles in a woodland area and is an annual rendezvous on the Formula 1 circuit. On the

hommes ont fondé de nombreux villes et villages, mais les forêts ont résisté. C'est au cœur de l'une d'entre elles qu'est situé le circuit du Hockenheim, lieu de rencontre annuel du monde des formules 1. En bordure est de cette plaine, le terrain s'élève en un palier: le Kraichgau, une contrée de collines au sol loessique fertile où les paysans sont encore nombreux. C'est ici qu'on trouve Eppingen, ville aux maisons à colombage, ainsi que Sinsheim avec son Musée de l'Automobile et des Techniques

An den Karlsruher Schloßgarten schließt sich der Botanische Garten mit den Bauten der Orangerie und seinen Pflanzenhäusern an.

Le jardin botanique, avec son orangerie et ses serres, jouxte les jardins du château de Karlsruhe.

Adjoining the Karlsruhe palace garden is the Botanical Garden with the Orangerie and its greenhouses.

walds schon näher an den Rhein heran. Da es dem badischen Markgrafen Karl Wilhelm im Städtchen Durlach zu eng geworden war, verlegte er 1718 den Regierungssitz in das kurz zuvor von ihm gegründete Karlsruhe. Vom Schloß mit seinen beiden Flankenflügeln wurde die Residenzstadt planmäßig gestaltet. Das wieder aufgebaute Barockschloß beherbergt heute das Badische Landesmuseum, klassizistische Bauten bestimmen das Stadtbild. Den Verlust, nicht mehr Verwaltungszentrum für das Land Baden zu sein, hat Karlsruhe, die einstige Residenz der Markgrafen und Großherzöge von Baden, durch eine neue Bestimmung wettgemacht: Sie ist Sitz des Bundesgerichtshofs und des Bundesverfassungsgerichts geworden und führt die ehrenvolle Bezeichnung „Resi-

eastern perimeter of the plain lies a plateau, the Kraichgau, with its fertile, loess-covered hills and farmland and Eppingen, a town of half-timbered buildings, and Sinsheim, with its museum of cars and technology, which is well worth a visit. The next town in the plain that deserves our attention is Bruchsal, where the Baroque palace of the prince-bishops and the famous Balthasar Neumann staircase were restored in the post-war years.

Further south, in Karlsruhe, the Pfinzgau and the northernmost foothills of the Black Forest come in closer to the Rhine. Karl Wilhelm, margrave of Baden, felt too restricted in Durlach and moved his seat of government in 1718 to Karlsruhe, a city he had newly founded. Fanning out from the palace with its two wings and,

qu'il ne faut pas manquer de visiter. Dans la plaine, c'est au tour de Bruchsal de mériter notre attention, où la résidence de style baroque des princes-évêques de Spire avec son célèbre escalier de Balthasar Neumann a été reconstruite dans les années d'après guerre.

Plus au sud, à Karlsruhe, les contreforts nord de la Forêt-Noire s'avancent en direction du Rhin avec le Pfinzgau. Comme le mar-

1715 legte Markgraf Karl Wilhelm von Baden-Durlach den Grundstein zum Schloß in Karlsruhe. Die ehemalige Großherzogliche Residenz beherbergt heute das Badische Landesmuseum.

In 1715 Margrave Karl Wilhelm of Baden-Durlach laid the foundation stone of the castle in Karlsruhe. The former grand-ducal palace now houses the Baden State Museum.

En 1715, le margrave Karl Wilhelm von Baden-Durlach a posé la première pierre du château de Karlsruhe. L'ancienne résidence du grand-duc accueille aujourd'hui le Musée régional badois.

denz des Rechts". Die Universität ist aus einer bereits 1825 gegründeten Technischen Hochschule hervorgegangen. Zur weitverzweigten Industrie kommen ein umschlagstarker Rheinhafen und Erdölraffinerien.

Auf dem weiteren Weg nach Süden wird man vom tannenreichen Nordschwarzwald begleitet, dessen höchste Erhebung die Hornisgrinde (1163 m) ist. Ihr zu Füßen liegt

more especially, from the palace tower, the city was laid out on a fan-shaped grid to which lateral roads were later added. The rebuilt Baroque palace now houses the Baden State Museum, and buildings in the classical style predominate. Karlsruhe has offset the loss resulting from no longer being the administrative centre of Baden and city of its margraves and grand-dukes by taking on a new role. It is

grave badois Karl Wilhelm se trouvait à l'étroit dans la petite ville de Durlach, il transféra en 1718 le siège de son gouvernement à Karlsruhe qu'il avait fondée peu avant. Il fut donné au plan de la ville-résidence une forme d'éventail partant du château avec ses deux ailes, plus exactement de la tour du château, et plus tard des rues transversales y ont été ajoutées. Le château de style baroque a été reconstruit et abrite actuellement le Musée régional badois. Des bâtiments de style classique donnent leur empreinte à la ville. Et si l'ancienne résidence des margraves et grands-ducs de la Bade n'est plus le centre administratif de la région badoise, elle s'est rattrapée en devenant le siège de la Cour constitutionnelle et Cour de cassation, d'où sa nouvelle dénomination: «Résidence du Droit» dont elle est fière. L'université est issue d'une Ecole Technique Supérieure fondée dès 1825. L'industrie est diversifiée dans cette ville au port fluvial de transbordement important, où sont installées aussi des raffineries de pétrole.

En poursuivant son chemin vers le sud, on longe le nord de la Forêt-Noire, riche en sapins dont le sommet, la Hornisgrinde, atteint 1163 mètres, et avec à ses pieds le lac de Mummelsee, entouré de mystères. La légende veut qu'ici vive le roi «Mummel», dont les filles ondines dansent sur la rive par les nuits de pleine lune. Dans une vallée laté-

Der Mummelsee, in dem sich Nixen und Wassergeister tummeln sollen, ist ein beliebtes Ausflugsziel. Er liegt zu Füßen der 1163 Meter hohen Hornisgrinde im Nordschwarzwald.

Mummelsee, a lake where mermaids used, it is said, to disport themselves, is a popular excursion destination. It lies at the foot of the 1,163-metre Hornisgrinde in the northern Black Forest.

Le lac de Mummelsee, autour duquel des ondines se seraient ébattus, est un but d'excursion très apprécié. Il s'étend au pied du Hornisgrinde, haut de 1163 m, dans la Forêt-noire du Nord.

der geheimnisumwobene Mummelsee. Der Sage nach haust hier der Mummelseekönig, dessen Nixentöchter in Vollmondnächten am Ufer tanzen. In einem Seitental verbirgt sich Baden-Baden, eine mondäne Bäderstadt mit Historie, die bis in die Römerzeit zurückreicht. Im Tal der Oos liegen das Festspielhaus, die weltbekannte Spielbank, die Kunsthalle und das Zisterzienserinnenkloster Lichtental mit einer großartigen Allee. Von Baden-Baden führt die Schwarzwald-Hochstraße zu vielen Wander-

now home to the Federal Supreme Court and Federal Constitutional Court and can claim the honourable title "seat of the law." Karlsruhe University dates back to a technical college founded in 1825. Wide-ranging industrial activity is served by the city's busy inland port and oil refineries.

As you head further south you are constantly accompanied by the fir trees of the northern Black Forest, which here rises to an elevation of 1,163 metres, the height of the Hornisgrinde with the mysteri-

rale se cache Baden-Baden, une ville de bains mondaine, dont l'histoire remonte au temps des Romains. Dans la vallée de l'Oos se trouve la Festspielhaus, casino connu du monde entier, le Musée des Arts et le Lichtental, couvent des cisterciennes avec son allée majestueuse. La «Hochstraße», route des crêtes de la Forêt-Noire, mène de Baden-Baden à une contrée riche en chemins de randonnées et en points de vues, et aboutit à Freudenstadt, la ville frontière du Wurtemberg qui a été fondée en 1660

In Freudenstadt beeindruckt der riesige Marktplatz. Die umliegenden Gebäude, ob altertümlich oder modern, sind durch Arkaden verbunden.

In Freudenstadt the gigantic market square is most impressive. The surrounding buildings, whether ancient or modern, are linked by arcades.

L'immense place du marché de Freudenstadt est impressionnante. Les édifices qui l'entourent, tant anciens que modernes, sont reliés par des arcades.

sous la forme d'un jeu de marelle assise avec en son centre une immense place du marché.

gebieten und Aussichtspunkten. Sie endet in Freudenstadt, der um 1600 nach dem Muster eines Mühlespiels angelegten württembergischen Grenzstadt mit einem riesigen Marktplatz.

ous Mummelsee nestling below it. Legend has it that the lake is the home of the Mummelkönig, or Mummel King, whose mermaid daughters danced by the lakeside at full moon. Hidden in a side valley is Baden-Baden, a fashionable spa with a history that dates back to Roman times. In the valley of the River Oos lie the Festspielhaus, the world-renowned casino, the Kunsthalle and Lichtental Cistercian convent with its magnificent tree-lined avenue. From Baden-Baden the Schwarzwald-Hochstrasse, or Black Forest High Road, passes many hiking areas and vantage points, ending in Freudenstadt, the Württemberg border town that was built in about 1600 in a chequer-board pattern around a gigantic market square.

Als im frühen 19. Jahrhundert Trinkkuren üblich wurden, entstand die Neue Trinkhalle in Baden-Baden. Der 90 Meter lange Wandelgang mit 17 Arkaden öffnet sich zum Park hin.

The Neue Trinkhalle in Baden-Baden was built in the early nineteenth century when taking the waters became fashionable. The promenade, 90 metres long with its 17 arcades, opens onto the park.

La Nouvelle Buvette à Baden-Baden fut érigée au début du XIXième siècle, quand prendre les eaux devint à la mode. Le promenoir d'une longueur de 90 m s'ouvre sur le parc par 17 arcades.

Die Pfarrkirche St. Petrus und Paul in Baden-Baden stammt weitgehend aus der Spätgotik.

The parish church of SS Peter and Paul in Baden-Baden is mainly late Gothic in style.

L'église St-Pierre et St-Paul à Baden-Baden est principalement de style gothique flamboyant.

Hebe, die Göttin der Jugend und Mundschenkin der Götter, im Baden-Badener Rosengarten.

Hebe, the goddess of youth and cupbearer to the gods in Baden-Baden's Rosengarten.

Hebe, déesse de la jeunesse et échanson des dieux, dans la roseraie de Baden-Baden.

Der Wasserturm, in den 1880er Jahren errichtet, begrüßt den Reisenden, der von Westen und Süden nach Mannheim kommt. Die Fontänen vor dem Wahrzeichen erinnern daran, daß die Stadt dem Element Wasser durch Schiffahrt und Hafen ihren Wohlstand verdankt.

The Water Tower, built in the 1880s, welcomes visitors to Mannheim from west and south. The fountains in front of this hallmark of the city are a reminder that it owes its prosperity to the water – to inland shipping and the port.

Le château d'eau, construit vers 1880, s'impose en premier lieu à la vue des visiteurs venant de l'ouest et du sud et allant en direction de Mannheim. Les fontaines placées devant l'emblème de la ville rappellent que la ville doit sa prospérité à l'élément eau grâce à son port et à la navigation.

Nördlich von Bruchsal erbaute ab 1720 Damian Hugo von Schönborn, Fürstbischof von Speyer, seine barocke Residenz. Das berühmte Treppenhaus hinter dem Haupteingang ließ der Kardinal durch den Würzburger Baumeister Balthasar Neumann errichten. Hier die Gartenfront mit Hofkirche und Kavaliershäusern.

North of Bruchsal, Damian Hugo von Schönborn, prince-bishop of Speyer, started work on his Baroque palace in 1720. Cardinal Schönborn commissioned the famous staircase behind the majestic main entrance from Würzburg architect Balthasar Neumann. This is the garden frontage with the court church and the courtiers' houses.

Au nord de Bruchsal, Damian Hugo von Schönborn, évêque-princier de Spire, entreprit en 1720 sa résidence baroque. Le célèbre escalier à cage derrière l'entrée mise en valeur a été construite par le maître d'œuvre de Würzburg Balthasar Neumann sur les ordres du cardinal. Ici la façade sur les jardins avec l'église du château et les corps d'habitation.

Der Bollenhut ist zum folkloristischen Markenzeichen des Schwarzwalds geworden. Die roten Bollen zeigen an, daß diese Frau aus Gutach noch unverheiratet ist.

The Bollenhut, or pompon hat, has come to be known as the folklore hallmark of the Black Forest. The red pompons indicate that this Gutach girl is still single.

Le «Bollenhut», chapeau de paille amidonné à pompons, est devenu un emblème folklorique de la Forêt-Noire. Les pompons rouges indiquent que cette femme originaire de Gutach est encore célibataire.

Von der Ortenau über den Schwarzwald ins Markgräfler Land

From the Ortenau via the Black Forest to the Markgräfler Land

De l'Ortenau au Markgräfler Land, en passant par la Forêt-Noire

Der machtbewußte Markgraf Ludwig Wilhelm von Baden-Baden, genannt der Türkenlouis, ließ nach 1700 diese Residenz errichten, eine gewaltige Dreiflügelanlage.

Baden-Baden's power-conscious Margrave Ludwig Wilhelm, nicknamed Türkenlouis, commissioned this palace, an impressive three-winged complex built from about 1700.

Le margrave Ludwig Wilhelm de Baden-Baden, nommé Louis le Turc, conscient de son pouvoir, fit construire après 1700 cette résidence, un immense complexe à trois ailes.

Saßen in Durlach und später in Karlsruhe die evangelischen Markgrafen von Baden, so residierten in Baden-Baden die katholischen. Ihr bedeutendster Repräsentant war um 1700 Markgraf Ludwig Wilhelm, genannt der Türkenlouis, da er in Südosteuropa erfolgreich gekämpft hatte. Er wandelte das Dorf Rastatt zu seiner Residenz um, die im Schatten einer gewaltigen barocken Schloßanlage liegt. In der späteren Festung Rastatt endete im Sommer 1849 vor der Übermacht der preußischen Truppen die badische Revolution, die

Durlach and, later, Karlsruhe were where the Protestant margraves of Baden ruled. Baden-Baden was favoured by the Catholic margraves, the most important of whom, in about 1700, was Ludwig Wilhelm, known as Türkenlouis for having fought with such success against the Turks in south-eastern Europe. He transformed the village of Rastatt into his capital, overlooked by an enormous Baroque palace. In Summer 1849 the Baden Revolution ended here, in what was later the fortress of Rastatt. The only revolution in Germany

Tout comme les margraves badois de religion protestante résidaient à Durlach, puis à Karlsruhe, ceux de religion catholique eux étaient à Baden-Baden. Leur plus digne représentant vers 1770 était le margrave Louis de Bade, dit Louis le Turc, car il s'était battu avec succès dans le sud-est européen. Il transforma le village de Rastatt en une ville-résidence, qui vit dans l'ombre d'un immense château de style baroque. C'est dans la forteresse ultérieure de Rastatt que la révolution des Badois – c'était la seule en Allemagne qui avait réussi à s'em-

einzige in Deutschland, die die Regierungsgewalt erlangt hatte.

Mitten in der Ortenau liegt Offenburg, umgeben von Obstgärten und Rebhängen. Die ehemalige Reichsstadt weist eine günstige Verkehrslage auf, fließt doch hier die Kinzig in den Rhein, die mit ihrem breit ausgeräumten Tal den Schwarzwald in eine nördliche und eine südliche Hälfte teilt. Flußaufwärts reihen sich hübsche Städtchen mit historischen Bauten wie Gengenbach, Haslach, Hausach, Schiltach und Wolfach. In Offenburg zweigt von der Rheintalstrecke die Schwarzwaldbahn ab, die sich hinter Triberg in Kehrtunnels auf die Hochfläche der Baar schraubt, auf der so sehenswerte Städte wie Villingen und Donaueschingen liegen.

In Rust, einem Dorf der Ebene, hat sich der Europa-Park, ein Freizeit-Zentrum, zu einem Anziehungspunkt erster Güte entwickelt. In den Schwarzwald hinein führt das Glottertal, berühmt geworden durch die Fernseh-Serie „Schwarzwald-Klinik". Rechter Hand erhebt sich unvermittelt eine terrassenförmig angelegte Hügellandschaft: der Kaiserstuhl. Da hier die höchsten Temperaturen in Deutschland gemessen werden, gedeihen die Trauben vorzüglich und ergeben einen guten bis hervorragenden Wein. In der alten Festungsstadt Breisach am Rhein ist die Zentralkellerei der

that came to power at the time, it succumbed to the superior strength and numbers of the Prussian troops sent in to put it down.

At the centre of the Ortenau region lies Offenburg, surrounded by orchards and vineyards. The former free imperial city's geographical location is most convenient. It is where the Kinzig flows into the Rhine after dividing the Black Forest into a northern and a southern half with its wide river valley. Upstream lie attractive small towns with historic buildings such as Gengenbach, Haslach, Hausach, Schiltach and Wolfach. In Offenburg the Black Forest line branches off from the Rhine Valley rail route and heads off past Triberg through serpentine tunnels up to the Baar plateau and towns like Villingen and Donaueschingen that are well worth seeing.

In Rust, a village in the plain, the Europa-Park, a leisure centre, has grown into a very popular attraction, while the Glottertal valley reaching back into the Black Forest made a name for itself as the setting for the popular TV series Black Forest Clinic. On the right a mountainous plateau, the Kaiserstuhl, towers unexpectedly. As Germany's highest temperatures are recorded there, the grapes flourish on the vine and make a superb wine. Nearby Breisach, an old citadel town on the Rhine, is the home of the Baden wine-growing coopera-

parer du gouvernement – finit l'été 1849, avant la prise du pouvoir par les troupes prussiennes.

Offenburg est en plein milieu de l'Ortenau, entourée de vergers et de vignobles. L'ancienne ville impériale bénéficie de bonnes voies de communication, en commençant par la rivière Kinzig qui se jette ici dans le Rhin, creusant une large vallée qui partage la Forêt-Noire en deux parties, moitié nord et moitié sud. Toute une série de jolies petites villes avec leurs bâtiments historiques bordent le cours supérieur de la rivière, comme Gengenbach, Haslach, Hausach, Schiltach et Wolfach. A Offenburg, le chemin de fer de la Forêt-Noire quitte l'axe de la vallée du Rhin et à Triberg il grimpe avec peine sur le haut plateau de Baar en traversant des tunnels hélicoïdaux jusqu'aux villes de Villingen et de Donaueschingen valant une visite.

A Rust, un village de la plaine, le parc d'attractions Europa-Park a conquis le public. La vallée du Glottertal – rendue célèbre par le feuilleton télévisé «La clinique de la Forêt – Noire» pénètre dans la Forêt-Noire. A main droite s'élève brusquement une région de collines en forme de terrasses: le Kaiserstuhl. C'est ici qu'on relève les plus hautes températures d'Allemagne, donc la vigne pousse très bien et donne un vin supérieur. La cave centrale de la coopérative vinicole de la Bade est installée dans

In Haslach wurde nach 1870/71 das „Gasthaus zur Kanone" gebaut.

After 1870-71, the Gasthaus zur Kanone was built in Haslach.

L'«auberge du Canon» a été construite à Haslach après la guerre de 1870/71.

Das altwürttembergische Städtchen Schiltach zieht sich den Hang hinauf.

The old Württemberg town of Schiltach lines the hillside.

L'ancienne petite ville wurtembourgeoise de Schiltach s'étage sur le versant.

Wo immer genügend Gefälle und Wasserkraft vorhanden war, wurde eine Mühle oder eine Holzsäge angelegt. Hier die Rankmühle bei St. Märgen im Hochschwarzwald.

Wherever there was a steep enough incline and water power to go with it, a water-mill or sawmill used to be built. This one is the Rankmühle near St Märgen in the Hochschwarzwald.

Un moulin ou une scierie ont été installés partout où l'énergie hydraulique était disponible et où la déclivité du terrain le permettait. Ici le moulin de Rank près de St-Märgen, dans la haute Forêt-Noire.

Der stete Westwind hat in der Höhenlage des Schauins-
lands diese Buche schräg wachsen lassen.

Westerly wind up here in the Schauinsland area has
made this beech tree grow at an angle.

Le vent d'ouest omniprésent sur les hauteurs du
Schauinsland a donné à cet hêtre une forme penchée.

Titisee im Hochschwarzwald, nordöstlich des Feldbergs
in rund 850 Meter Höhe gelegen.

Titisee nestles in the Hochschwarzwald at an altitude of
roughly 850 metres.

Le lac de Titisee au nord-est du Feldberg, à 850 m d'altitude, dans la haute Forêt-Noire.

71

eindeutig Schweizer Stadt am Rheinknie, in der der Badische Bahnhof das deutsche Schienennetz am Oberrhein und Hochrhein verknüpft. Die Städte Weil und Lörrach sind mit ihrer Industrie – u. a. Textilherstellung – ein Teil des Großraums Basel. Der Weg nach Süden führt durch das weingesegnete Markgräfler Land, wo der Isteiner Klotz Schienen und Autobahn nahe an den Strom drängt. Der Schwarzwald wölbt sich im Belchen noch einmal beachtlich auf, in der Vorbergzone duckt sich das Städtchen Staufen in eine Mul-

starts snowing again in September.

The next destination is Basle, clearly a Swiss city on a bend in the Rhine, where the Badischer Bahnhof, or Baden Station, links the German railway network with routes further upstream in the Oberrhein and Hochrhein regions. The towns of Weil and Lörrach with their industries, which include textiles, form part of the Basle area. The road south passes through the Markgräfer Land winegrowing district, where the Isteiner Klotz makes the Rhine Valley

région du Rhin supérieur et du Haut-Rhin. Les villes de Weil et de Lörrach font partie de l'agglomération de Bâle avec leurs industries, dont la fabrication de textiles. La route du sud traverse le Markgräfler Land, riche en vignobles, où le Isteiner Klotz repousse les rails et l'autoroute vers le fleuve. La Forêt-Noire s'élève une dernière fois considérablement à Belchen, et la petite ville de Staufen se tapit dans une cuvette de la zone des contreforts. Le très controversé Dr Faustus (dont Goethe s'est inspiré plus tard pour son roman

Die Innenausstattung der Klosterkirche von St. Märgen ist nach einem verheerenden Brand im Jahre 1907 neobarock gestaltet worden.

After a devastating fire, the interior of the monastery church of St Märgen was newly decorated in the neo-Baroque style in 1907.

La décoration de l'église du cloître de St-Märgen a été refaite en style néo-baroque, suite à l'incendie qui la dévasta en 1907.

de. Hier ist wohl im Gasthaus „Zum Löwen" der vielbeschrieene Dr. Faustus, der wie andere Alchimisten dem Geheimnis des Goldmachens auf der Spur war, bei einem Experiment ums Leben gekommen.

narrower, pushing roads and railway lines close to the river. At Belchen the Black Forest rises impressively once more, with the small town of Staufen nestling in a hollow. This is where, at the Lion Inn, Dr Faustus died in an experiment while he, like other alchemists, was engaged in a quest to discover the secret of how to make gold.

«Faust») y aurait trouvé la mort dans l'auberge «Zum Löwen» lors d'une expérimentation, alors qu'il cherchait à percer le secret de la fabrication de l'or comme tous les autres alchimistes.

Im Weingut Marget in Müllheim reifen ausgewählte Lagen in Holzfässern.

On the Marget estate in Müllheim, selected vintages are stored in wooden vats.

Dans le domaine viticole de Marget à Müllheim, des cépages  sélectionnés mûrissent dans des fûts de bois.

Im ehemals reichensteinischen Wasserschloß amtiert heute der Bürgermeister von Inzlingen.

The mayor of Inzlingen now performs his duties in the moated castle of Reichenstein family.

La mairie d'Inzlingen est installée dans l'ancien château d'eau de la dynastie Reichenstein.

Das Städtchen Staufen liegt zwischen Weinbergen ein-gebettet am Rand des Markgräfler Lands. Im Hinter-grund die gleichnamige Burg.

The small town of Staufen lies embedded between vineyards on the periphery of the Markgräfler Land with the castle, Burg Staufen, in the background.

La petite ville de Staufen est tapie au milieu de collines couvertes de vignobles en bordure du Markgräfler Land. En arrière-plan, le château fort du même nom.

Im Schwarzwald hat sich im Mittelalter ein typisches Einhaus herausgebildet, unter dessen weit herabgezogenem Walmdach Stall, Scheune und Wohntrakt Platz haben. Bei Gutach im Kinzigtal steht der stattliche Vogtsbauernhof, das Kernstück des vielbesuchten bäuerlichen Freilichtmuseums.

In the Middle Ages a typical all-in-one style of Black Forest farmhouse took shape. Farmhouse, stables and barn all nestle beneath its low-lying hipped roof. The impressive Vogtsbauernhof in Gutach in the Kinzigtal valley is the focal point of a popular open-air museum of country life.

Dans la Forêt-Noire au Moyen-Age, un type de maison individuelle s'est formé, dont le toit en croupe abritait habitat, grange et étables. Près de Gutach dans la vallée de la Kinzig, on trouve la ferme de taille imposante dite des Vogt, la pièce maîtresse du musée à ciel ouvert très fréquenté.

Der Schauinsland (1284 Meter) ist der Hausberg der Freiburger, im Sommer zum Wandern wie im Winter zum Skilaufen.

Schauinsland, 1,284 metres, is Freiburg's local mountain. Here, Freiburg people go hiking in summer and skiing in winter.

Le Schauinsland (1284 m d'altitude) est la montagne des Fribourgeois, où ils font des randonnées en été et du ski en hiver.

Im Breisgau erhebt sich eine Gebirgsinsel: der Kaiserstuhl, die wärmste Gegend Deutschlands. Für die Weinreben, die Jahr für Jahr prächtige Erträge erbringen, hat man gewaltige Terrassen in den Löß gehobelt, um die Bewirtschaftung zu erleichtern. Im Hintergrund das Weindorf Oberrotweil

The Breisgau region includes the Kaiserstuhl, a hilltop plateau that is Germany's warmest area. To make the loess soil easier to farm, gigantic terraces were dug from the loam for vines that yield magnificent wine harvests year after year. The wine village of Oberrotweil is seen at the rear.

Dans le Brisgau, s'élève une sorte d'îlot montagneux: le Kaiserstuhl, la région la plus chaude d'Allemagne. Pour les vignobles qui donnent d'année en année de riches récoltes, on a dû creuser de vastes terrasses dans le loess, pour faciliter l'exploitation. En arrière-plan, on aperçoit le village vinicole d'Oberrotweil.

Die holzgedeckte Brücke über den Hochrhein verbindet Bad Säckingen mit dem Schweizer Ufer. Im Hintergrund die Türme des Münsters St. Fridolin.

The wooden-roofed bridge across the Rhine links Bad Säckingen and the Swiss bank of the river. At the rear you can see the towers of St Fridolin's Minster.

Depuis la fin du Moyen Age, le pont couvert en bois jeté sur le Haut Rhin repose sur des piliers en pierre. Il relie Bad Säckingen et la rive suisse. En arrière plan les tours de la cathédrale de St-Fridolin.

Hochrhein, Hotzenwald und Baar

Hochrhein, Hotzenwald and Baar

Le Haut-Rhin, la Hotzenwald et le plateau de Baar

Die frühklassizistische Kuppel des Klosters St. Blasien ist die drittgrößte der Welt nach St. Peter in Rom und St. Paul in London.

The early classical dome of St Blasius monastery is the world's third-largest after the basilica of St Peter's in Rome and St Paul's cathedral in London.

La coupole du monastère de St-Blasien, datant du début du classicisme, est la troisième du monde après Saint-Pierre de Rome et Saint-Paul à Londres.

Den südlichen Rand des Schwarzwalds markiert der Hochrhein, dessen Kraft und Gefälle bei Rheinfelden, Bad Säckingen, Laufenburg und Waldshut für die Stromgewinnung genutzt wird. Der Hotzenwald, eine touristisch erst spät erschlossene Ecke des Schwarzwalds, fällt zum Hochrhein hin flach ab. In der Nähe des Schluchsees wartet St. Blasien mit einem Kleinod auf: die Kuppel des „Doms" ist die drittgrößte der Welt.

Um in Baden zu bleiben, müssen wir auf dem Weg zum Bodensee

The Hochrhein, which at Rheinfelden, Bad Säckingen, Laufenburg and Waldshut has its current and water fall harnessed to generate hydroelectric power, marks the Black Forest's southern perimeter. In St Blasien the downward slope of the mountains toward the river, the Hotzenwald, which is a popular tourist area, features in the Dom an unexpected jewel: the world's third-largest building with a dome-shaped roof.

Staying in Baden, on the way to Lake Constance the route rounds

Le Haut-Rhin marque la limite sud de la Forêt-Noire, et prête sa force et sa déclivité à la production d'électricité près de Rheinfelden, Bad Säckingen, Laufenburg et Waldshut. La forêt d'Hotzenwald, appréciée des touristes, recouvre l'inclinaison en forme de toit du massif vers le fleuve et renferme le joyau de St-Blasien avec sa «cathédrale» caractéristique du classicisme, la troisième construction à coupole du monde par sa taille.

Pour rester dans la Bade en allant en direction du lac de

Der Künstler Klaus Ringwald hat für die Stadt Villingen einige Werke geschaffen, so die Portale des Münsters Unserer Lieben Frau und den Münsterbrunnen.

The sculptor Klaus Ringwald was responsible for a number of works of art in Villingen, such as the portals of Unserer Lieben Frau Minster and the minster fountain.

L'artiste Klaus Ringwald a créé quelques œuvres pour la ville de Villingen, comme le portail de la cathédrale «Unserer-Lieben-Frau» et sa fontaine.

Detail aus dem Münsterbrunnen des Künstlers Klaus Ringwald auf dem Villinger Münsterplatz.

A detail from the minster fountain, the work of sculptor Klaus Ringwald, on Villingen's Münsterplatz.

Détail de la fontaine, créée par l'artiste Klaus Ringwald, sur la place de la cathédrale de Villingen.

Constance, il faut savoir éviter le canton suisse de Schaffhouse. Le plus simple est de passer par la vallée de Wutachtal et sa bordure pour atteindre le haut plateau de Baar avec les villes fusionnées de Villingen et Schwenningen, tirant leurs ressources de l'industrie électrique, horlogère et de constructions mécaniques. Le plan de la vieille ville de Villingen montre bien le motif de ce qu'on appelle la croix de la dynastie des Zähringen. Pendant le carnaval, on y admire les personnages traditionnels de bouffons. Entre la Forêt-Noire qui consiste principalement en gneiss et granit d'une part et le Jura souabe d'autre part, le plateau de Baar en calcaire coquillier forme une plaine surélevée, dans laquelle coule le jeune Danube. Près d'Immendingen, ses eaux s'infiltrent

den Schweizer Kanton Schaffhausen umfahren. Dabei gelangt man durch das Wutachtal und über den Randen auf die Hochfläche der Baar mit der Doppelstadt Villingen-Schwenningen, die für ihre Elektro-

the Swiss canton of Schaffhausen, crossing the Wutach valley up into the Baar plateau and the twin city of Villingen-Schwenningen with its electrical and mechanical engineering and watch- and clockmak-

Im Kurpark von Bad Säckingen steht das sogenannte Trompeterschlößle. Joseph Victor Scheffel hat mit seinem Versepos „Der Trompeter von Säckingen" für den Namen gesorgt.

In the gardens of Bad Säckingen stands the Trompeterschlössle. It owes this name to Joseph Victor Scheffel and his verse epic "The Trumpeter of Säckingen."

Le château du baron de Schönau – appelé aussi «Trompeterschlößle» (petit château du trompettiste), se dresse dans le parc de la station thermale de Bad Säckingen. C'est le poème épique de Joseph Victor Scheffel, «Le trompettiste de Säckingen», qui est à l'origine de cette appellation.

Eine zweibogige Brücke überwindet in Laufenburg den Hochrhein und verbindet links Deutschland mit der Schweiz.

A two-arched bridge spans the Rhine at Laufenburg.

Un pont à deux arches enjambe le Haut Rhin à Laufenburg.

Die Kaiserstraße in Waldshut ist eine belebte Einkaufsstraße und Flaniermeile.

Kaiserstrasse in Waldshut is a lively shopping street and corso.

La Kaiserstraße à Waldshut est une rue commerçante et un lieu de promenade où il fait bon flâner.

87

Aus zwei wasserreichen Bächen entsteht bei Donau-eschingen die Donau. Doch als „Donauquelle" gilt dieses Bassin im Schloßpark.

The Danube springs from two streams abounding in water near Donaueschingen, but this pool in the castle grounds is known as the "source of the Danube."

Le Danube naît près de Donaueschingen de deux ruisseaux bien alimentés en eau. Mais ce bassin dans le parc du château est considéré comme la »source du Danube«.

und Uhrenindustrie und ihren Maschinenbau bekannt ist. Die Villinger Altstadt zeigt deutlich als Grundmuster das sogenannte Zähringer Kreuz. In der Fastnacht-zeit tummeln sich hier die traditionellen Narrengestalten. Zwischen dem Schwarzwald, der aus den Grundgesteinen Gneis und Granit besteht, und dem Juragebirge der Schwäbischen Alb bildet die Muschelkalkfläche der Baar eine hochgelegene Ebene, durch die die hier noch junge Donau fließt. Bei Immendingen versickert ihr Was-

ing industries. The Altstadt of Villingen clearly resembles the so-called Zähringen Cross in shape. It is here that the traditional jesters can be admired during the Fastnacht period. Between the Black Forest, which basically consists of gneiss and granite, and the Jurassic mountains of the Swabian Alb, the muschelkalk of the Baar plateau is the home of the water of the young Danube. Near Immendingen its water largely seeps away and flows through one of the world's largest system of underground

presque complètement dans le sol et coulent à travers un des plus grands ensembles de grottes souterraines de la terre. Ces eaux du Danube alimentent aussi la cuvette de l'Aach à 12 km plus au sud. De cette résurgence la plus grande d'Allemagne jaillit l'Aach qui se jette quelques kilomètres plus loin dans le lac de Constance. Au-dessus de la ville industrielle de Singen s'élève abruptement un mont en forme de cône en basalte que surmontent les ruines d'une forteresse: le Hohentwiel. «Le jeu de quilles

Nepomuk, der Brückenheilige des Barock, wacht bei Hausen über das felsbekrönte Donautal.

St. Nepomuk, the Baroque era's saint of bridges, stands guard over the rock-crowned Danube valley near Hausen.

La statue baroque de Népomucène, patron des ponts, veille près de Hausen sur la vallée du Danube couronnée de rochers.

ser weitgehend und fließt durch eines der größten Wasserhöhlensysteme der Erde. Das Wasser der Donau speist auch den rund zwölf Kilometer weiter südlich gelegenen Aachtopf. Dieser größten Quelle Deutschlands entspringt die Aach, die schon nach wenigen Kilometern in den Bodensee fließt. Über der Industriestadt Singen erhebt sich schroff ein Basaltkegel mit einer Festungsruine: der Hohentwiel. Ihn und die anderen Basaltberge im Hegau nannte man das „Kegelspiel unseres Herrgotts".

caves. The water of the Danube also feeds the Aachtopf, roughly 12 Kilometres further south. This largest system of spring waters in Germany also feeds the Aach, which flows into Lake Constance just a few kilometres away.

A cone of basalt, the Hohentwiel, with a ruined fortress perches on top towers over the industrial town of Singen. It and the other basalt peaks in the Hegau have in their time been dubbed "the Lord's skittles."

du Seigneur» est une expression qui désigne l'ensemble des monts en basalte dans le Hegau dont fait partie le Hohentwiel.

„Belchen" ist der alemannische Name für eine kuppel-förmig gerundete Bergform. Mit seinen 1414 Metern wölbt er sich zum dritthöchsten Schwarzwaldberg auf. Die Fernsicht geht über das Kleine Wiesental nach Süden bis zur Kette der Schweizer Alpen.

Belchen is an Alemannic dialect name for a rounded, dome-shaped mountain. The Belchen, arching up to an altitude of 1,414 metres, is the Black Forest's third-tallest mountain. From its summit you have a view of the Kleines Wiesental valley to the south and, beyond it, the Swiss Alps.

«Belchen» est le nom alémanique pour une forme montagneuse arrondie en forme de coupole. Avec ses 1414 m il est le troisième mont de la Forêt-Noire. Le regard vers le sud porte au-delà de la petite vallée de Wiesental jusqu'à la chaîne des Alpes suisses.

Im Hochschwarzwald findet man bei Grafenhausen das Heimatmuseum Hüsli. Die Sängerin Helene Siegfried ließ es um 1910 aus Originalteilen zusammenbauen und füllte es mit bäuerlichen und handwerklichen Exponaten.

The Hüsli local history museum is near Grafenhausen in the Hochschwarzwald. A singer, Helene Siegfried, had it built from original sections in 1910 and filled it with farmhouse exhibits and rural handicrafts.

Le musée régional Hüsli est situé près de Grafenhausen dans la haute Forêt-Noire. La chanteuse Hélène Siegfried le fit construire vers 1910 avec des éléments de construction préexistants et y exposa des objets de la vie courante des paysans et artisans.

Vor Langenargen liegt Schloß Montfort auf einer Halbinsel. Der württembergische König Wilhelm I. erbaute im 19. Jahrhundert diese Burg im maurischen Stil.

Montfort Castle stands on a peninsula near Langenargen. King Wilhelm I of Württemberg built the castle in the Moorish style in the nineteenth century.

Le château de Montfort est situé sur une presqu'île devant Langenargen, près de Friedrichshafen. Guillaume 1er, roi du Wurtemberg, fit construire ce château fort au XIXième siècle dans le style mauresque.

Der Bodensee, das „Schwäbische Meer"

Lake Constance, the "Swabian Sea"

Le lac de Constance, «la mer de Souabe»

Auf der Blumeninsel Mainau bei Konstanz blüht es überall, nicht nur im Rosengarten. Über dem Treppenaufgang ist der Turm der barocken Schloßkirche zu erkennen.

Flowers bloom everywhere on Mainau island near Konstanz, and not just in the rose garden. Above the steps you can see the tower of the Baroque castle church.

Tout fleurit, et pas seulement dans la roseraie, sur l'île de Mainau près de Constance grâce à la douceur du climat. On reconnaît, au-dessus de l'escalier, la tour de style baroque de l'église du château.

Das „Schwäbische Meer", wie der Bodensee seit alters heißt, übt einen unglaublichen Reiz auf die Menschen aus, die dort wohnen und arbeiten oder sich erholen wollen: beim Schwimmen, Segeln, Tauchen, beim Wandern oder Radfahren. Der Bodensee ist mit gut 540 Quadratkilometern der größte deutsche See und durch die Anrainer Baden-Württemberg, Bayern, Österreich und die Schweiz ein internationales Gewässer. Im Überlinger See liegt die Garteninsel Mainau des Grafen Bernadotte mit ihrer südländischen Vegetation, im

The Swabian Sea, as Lake Constance has long been known, exerts an incredible attraction on the people who live and work nearby it or seek recreation in or around it by swimming, sailing, diving, hiking or biking. Lake Constance, which covers a surface area of well over 540 square kilometres, is Germany's largest lake – and an international waterway shared by its riparian neighbours Baden-Württemberg, Bavaria, Austria and Switzerland. In the adjoining Überlinger See lies Count Bernadotte's garden island of Mainau with its

Quant à lui le lac de Constance est nommé depuis toujours «la mer de Souabe» et exerce un attrait incroyable sur les gens qui vivent là, y travaillent ou veulent s'y détendre: en nageant, en faisant de la voile ou de la plongée, des randonnées ou du vélo. Le lac de Constance est le plus grand lac allemand de par sa superficie de 540 kilomètres carrés et un plan d'eau international de par ses riverains: le Bade-Wurtemberg, la Bavière, l'Autriche et la Suisse. Dans le lac d'Überlingen se trouve l'île-jardin Mainau du comte Bernadotte avec

Das Stadtbild von Meersburg ist von vielen malerischen Winkeln und Fachwerkhäusern geprägt. Vom Alten Schloß aus ist der Blick hinüber auf die Alpenkette besonders beeindruckend.

Meersburg is a town full of picturesque corners and half-timbered houses. The view across to the Alps from the Altes Schloss is particularly impressive.

La physionomie de la ville de Meersburg est caractérisée par de nombreux petits coins pittoresques et des maisons à colombage. La vue depuis le Vieux Château vers la chaîne des Alpes est particulièrement impressionnante.

Untersee die Gemüseinsel Reichenau, deren romanische Kirchen und Klosterbauten von einer kulturellen Blüte zur Zeit der Karolinger zeugen. Ganz in der Nähe lohnt Konstanz mit seiner jungen Universität und einer beeindruckenden Altstadt einen Besuch. In dem wuchtigen Konzilsgebäude am Hafen trafen sich von 1414 bis 1418 Würdenträger der katholischen Kirche, um dem Dilemma zweier gewählter Päpste ein Ende zu bereiten. Auf der anderen Seeseite erkennt man die Wallfahrtskirche Birnau, erbaut von den mächtigen

Mediterranean vegetation. In the Untersee lies the vegetable island of Reichenau with its Romanesque churches and monastery buildings that testify to a cultural heyday in the Carolingian era. Nearby is the city of Konstanz with its young university and impressive Altstadt. Catholic Church dignitaries met from 1414 to 1418 in the massive Council Building down by the harbour to end the dilemma of a Church with two elected Popes. From there you can see on the other side of the lake the pilgrimage church of Birnau, built by the pow-

sa végétation du sud de l'Europe, dans celui d'Untersee l'île aux légumes Reichenau dont les églises et cloîtres de style roman sont les témoins d'une apogée culturelle sous les Carolingiens. Tout près est située la ville de Constance avec sa jeune université et son vieux centre impressionnant. Dans l'imposant bâtiment du Concile près du port se rencontrèrent entre 1414 et 1418 les dignitaires de l'Eglise catholique, pour mettre fin au dilemme posé par l'élection de deux papes. Sur l'autre rive du lac, on reconnaît les contours de

Die Hafeneinfahrt von Konstanz zeigt, daß der Bodensee ein Paradies für Segler ist.

The port of Konstanz conveys an idea of why the "Swabian Sea" is a sailor's paradise.

L'entrée du port de Constance montre que la «mer de Souabe» est un paradis pour les amateurs de voile.

In Konstanz sind gegenüber der Altstadt dominante Jugendstilbauten entstanden.

A frontage of distinctive Jugendstil buildings face Konstanz' Altstadt across the water.

De nobles constructions de style art déco à Constance se dressent face à la vieille ville.

Auf der Gemüseinsel Reichenau im Untersee des Bodensees stehen drei romanische Kirchen, hier St. Peter und Paul in Niederzell.

Three Romanesque churches grace the vegetable-growing island of Reichenau in Lake Constance. This one is SS Peter and Paul in Niederzell.

Trois églises romanes, qui rappellent le cloître impérial carolingien, s'élèvent sur l'île aux légumes de Reichenau sur l'Untersee, le prolongement du lac de Constance. Ici St-Peter-et-Paul à Niederzell.

Sipplingen am Überlinger See ist ein Ferien- und Obst-
bauerndorf, das vom Turm der Pfarrkirche St. Martin
und St. Georg beherrscht wird. Bei der Prozession an
Fronleichnam begleitet die Bürgerwehr den Priester
samt Monstranz.

Sipplingen on the shore of Überlinger See is a holiday
and orchard farming village over which the spire of the
parish church of St Martin and St George towers. The
home guard accompanies the priest and the mon-
strance during the Corpus Christi procession.

Sipplingen au bord du lac d'Überlingen est un village
de vacances et d'arboriculture que domine la tour de
l'église paroissiale St-Martin et St-Georges. Lors de la
procession de la Fête-Dieu, la garde civile accompagne
le prêtre avec l'ostensoir.

Die Pfahlbauten am Bodenseeufer bei Unteruhldingen entwickelten sich als Museum zum Besuchermagnet. Die Nachbauten einer prähistorischen Siedlung sind im letzten Jahrhundert entstanden und vermitteln ein anschauliches Bild vom Leben am Bodensee vor über 3000 Jahren.

The buildings on piles on the shore of Lake Constance near Unteruhldingen were quick to attract visitors as a museum. Built last century to show how a prehistoric settlement looked, they convey a graphic idea of what life must have been like on Lake Constance over 3,000 years ago.

Les constructions sur pilotis près d'Unteruhldingen sur la rive du lac de Constance ont été transformées en musée qui attire les visiteurs. Une reconstitution du village préhistorique a eu lieu au siècle dernier et donne une bonne impression de la vie sur les bords du lac de Constance il y a plus de 3000 ans.

Unweit von Überlingen erhebt sich die Wallfahrtskirche Birnau in prachtvoller Lage auf einer Anhöhe über dem Bodenseeufer. Hinter der Kirche führt der Prälatenweg nach Salem, dessen Äbte die Bauherren waren. Nach Architektur und Ausstattung bildet Birnau den Höhepunkt des süddeutschen Rokoko.

Near Überlingen the pilgrimage church of Birnau stands majestically on a hilltop looking down on the shore of Lake Constance. Behind the church the Prälatenweg, or Prelates' Way, leads to Salem, whose abbots commissioned the church. In style and furnishing, Birnau marks the high point of South German Rococo architecture.

Dans un superbe site, pas loin d'Überlingen et sur une hauteur qui domine la rive du lac de Constance se dresse l'église de Birnau, lieu de pèlerinages. Les maîtres d'ouvrage étaient les abbés de Salem, où mène le chemin des Prélats, partant derrière l'église. De par son architecture et sa décoration intérieure, Birnau représente l'apogée du style rococo de l'Allemagne du sud.

Die katholische Pfarrkirche St. Verena und Mariä Himmelfahrt im oberschwäbischen Rot an der Rot war früher die Klosterkirche des 1126 gegründeten Prämonstratenserstifts.

The Catholic parish church of St Verena and the Ascension of the Virgin Mary in Rot an der Rot, Upper Swabia, used to be the church of a Premonstratensian abbey founded in 1126.

L'église paroissiale catholique St-Verena-et-Marie-de-l'Assomption à Rot an der Rot, dans la Haute-Souabe, était autrefois l'église du cloître fondé en 1126 par l'ordre des Prémontrés.

# Oberschwaben und seine Barockstraße

# Upper Swabia and its Baroque Route

# La Haute-Souabe et sa route du baroque

Das weitläufige Areal der ehemaligen Benediktiner-Reichsabtei Ochsenhausen dient heute als Landesakademie für die musizierende Jugend.

The extensive house and grounds of the former Benedictine Imperial abbey of Ochsenhausen now house the State Academy of Music.

L'ensemble étendu de l'ancienne abbaye des Bénédictins d'Ochsenhausen sert aujourd'hui d'académie régionale de formation musicale.

Die Region Oberschwaben erstreckt sich vom Bodensee bei Friedrichshafen bis zur Münsterstadt Ulm an der Donau. Sanfte Hügellandschaften prägen ebenso ihr Bild wie barocke Kulturdenkmäler. Auffallend viele architektonisch bemerkenswerte Klöster wie Weißenau, Weingarten, Rot an der Rot, Ochsenhausen oder Schussenried liegen am Weg. Die Äbte von Schussenried ließen von Dominikus Zimmermann in Steinhausen eine Wallfahrtskirche errichten, die den Ehrennamen „schönste Dorfkirche der Welt" trägt. Aber auch

Upper Swabia extends from Lake Constance near Friedrichshafen to the minster city of Ulm on the Danube. Gentle hills and Baroque cultural monument alike characterise the region. This is a landscape that a strikingly large number of superb abbey buildings in Weissenau, Weingarten, Rot an der Rot, Ochsenhausen and Schussenried helped to shape. Their abbots commissioned from Dominikus Zimmermann a pilgrimage church in Steinhausen that has been called "the world's most beautiful village church." The nobility sought to

La région de la Haute-Souabe s'étend de Friedrichshafen au bord du lac de Constance jusqu'à la ville d'Ulm sur le Danube avec sa cathédrale. Cette région est caractérisée par un paysage de collines douces, tout comme par des monuments culturels de style baroque. Comme le prouvent par exemple les nombreux couvents à l'architecture remarquable : Weißenau, Weingarten, Rot an der Rot, Ochsenhausen ou Schussenried. Leurs abbés firent construire à Steinhausen par Dominikus Zimmermann une église de pèlerinage, qui porte le nom hono-

Ursprünglich war Schussenried ein Prämonstratenser-kloster. Um 1760 entstand die doppelgeschossige Bibliothek mit umlaufender Galerie, ein letztes Meisterwerk des Rokoko.

Schussenried was originally a Premonstratensian abbey. In the 1760s the two-storey library with its first-floor gallery was built – a last masterpiece of Rococo architecture.

A l'origine, Schussenried était un cloître des Prémontrés. La bibliothèque à deux étages avec sa galerie circulaire, un dernier chef d'œuvre du rococo, a été réalisée vers 1760.

die Schlösser des Adels können sich sehen lassen, so etwa die der Fürsten Waldburg in Zeil und Wolfegg. Der Nachfahre der württembergischen Könige, Herzog Carl und seine Familie, bewohnen Schloß Altshausen, das die Deutschordensritter ausbauten, während seine „Hofkammer", die Holding, die seine wirtschaftlichen Interessen vertritt, im Schloß Friedrichshafen residiert.

In Oberschwaben gibt es zahlreiche städtische Zentren wie Wangen im Allgäu – hier hat das Land einen kleinen Anteil am Voralpen-

compete with the clergy by building castles to match. They included the palaces built by the Waldburg princes in Zeil and Wolfegg. Duke Carl and his family, the descendants of the kings of Württemberg, live in Schloss Altshausen, which was at one point enlarged by the knights of the Teutonic Order, while the holding company that looks after his business interests is based in Schloss Friedrichshafen.

Oberschwaben boasts numerous urban centres such as Wangen in the Allgäu region, where Baden-Württemberg can lay claim to a

rable de «la plus belle église de village du monde». Les nobles et leurs châteaux leur font concurrence, tels les princes Waldburg à Zeil et Wolfegg. Le descendant des rois wurtembergeois, le duc Carl, et sa famille vivent dans le château Altshausen, que les chevaliers de l'Ordre Teutonique ont aménagé, tandis que leur «chambre du trésor», la holding de leurs intérêts économiques, a sa raison sociale au château de Friedrichshafen.

La Haute-Souabe abrite de nombreux centres urbains tels que Wangen im Allgäu – ici commen-

gebiet –, Leutkirch, die Welfengründung Ravensburg mit seiner starken Industrie, die Nachbarstadt Weingarten, Bad Waldsee, Bad Saulgau und Biberach. Eine mächtige Reichsstadt war einst Ulm: um 1500 ging der Spruch um „Ulmer Geld regiert die Welt". Vor allem mit dem Geld der wohlhabenden Kaufleute und Patrizier wurde seit 1377 das gewaltige Münster errichtet, dessen Turm allerdings erst Ende des 19. Jahrhunderts zur Weltrekordhöhe von 161 Metern gebracht worden ist. Sehenswert sind auch Ulms historische Stadt-

corner of the foothills of the Alps, Leutkirch, Ravensburg, an industrial city founded by the Guelphs, neighbouring Weingarten, also an industrial centre, Bad Waldsee, Bad Saulgau and Biberach, some of which are former free imperial cities. One of them, powerful in its day, was Ulm. In about 1500, Ulm money was said to rule the world. From 1377, above all, the wealthy merchants' and patricians' money was spent on Ulm's enormous minster, although its tower was not raised to the world record height of 161 metres until the end of the

cent les Pré-Alpes – Leutkirch, Ravensburg fondée par les Guelfes avec son industrie fortement représentée ainsi que la ville voisine Weingarten, Bad Waldsee, Bad Saulgau et Biberach, dont certaines étaient des anciennes villes impériale. Ulm était parmi elles l'une des plus puissantes: vers 1500 courait la devise «la monnaie d'Ulm gouverne le monde». Grâce principalement à l'argent des marchands et des bourgeois fortunés, son imposante cathédrale a pu être entreprise à partir de 1377, la tour ayant été achevée que vers la fin

Wangen im Allgäu bewahrte sein traditionelles Stadtbild besonders treu. Hier die Patrizierhäuser der Herrenstraße und das Liebfrauentor.

Wangen in the Allgäu region has remained particularly true to its traditional townscape. The patrician town houses on Herrenstrasse and the Liebfrauentor are seen here.

L'ancienne ville impériale de Wangen dans l'Allgäu a particulièrement bien conservé son image traditionnelle: maisons bourgeoises dans la Herrenstraße et la porte Liebfrauentor datant de la Renaissance.

quartiere wie das Fischer- und das Gerberviertel mit ihren engen verwinkelten Gassen sowie das Rathaus oder das Schwörhaus, die vom Stolz der freien Reichsstadt zeugen. Die Großstadt am Zusammenfluß von Donau und Iller, die Oberschwaben von Bayerisch-Schwaben trennt, ist traditioneller Herstellungsort für Busse und Lastkraftwagen und in jüngster Zeit Universitäts- und Wissenschaftsstadt.

nineteenth century. Other sights worth seeing are Ulm's historic city districts, such as the Fischerviertel and the Gerberviertel with their narrow, winding streets, the Rathaus and the Schwörhaus, which testify to the pride of the free imperial city. The city at the confluence of the Danube and the Iller, which marks the border between Oberschwaben and Bavarian Swabia, has traditionally manufactured buses and trucks. It has lately come into its own as a university city and centre of scientific research, too.

du XIXe siècle à une hauteur record de 161 mètres. Méritent également une visite le centre historique de la ville d'Ulm, ainsi que le quartier des pêcheurs et des tanneurs avec ses ruelles tortueuses, l'hôtel de ville ou la «Schwörhaus», la maison du serment, qui sont les fiers témoins de la ville libre d'Empire. Cette grande ville, à la jonction du Danube et de l'Iller, rivière marquant la limite entre la Haute-Souabe et la Souabe de Bavière, est traditionnellement la ville de la construction des camions, et est devenue plus récemment ville universitaire.

113

Im Herzen Oberschwabens hat die einstige Reichsstadt Biberach an der Riß ihre altertümliche Schönheit erhalten. Den Marktplatz überragt die Pfarrkirche St. Maria und Martin.

Biberach an der Riss in the heart of Upper Swabia has retained its old-world splendour. The parish church of SS Mary and Martin is towering over the market square.

Au cœur de la Haute-Souabe, l'ancienne ville d'empire de Biberach sur la Riß a gardé sa beauté de toujours. L'église paroissiale St-Maria-et-Martin domine la place du marché.

Im Viertel an der Blau, die in Ulm in die Donau fließt, waren die Fischer und Gerber zu Hause.

Fishermen and tanners lived on the bank of the River Blau, which flows into the Danube at Ulm.

Des pêcheurs et des tanneurs vivaient sur la rive de la Blau, qui se jette à Ulm dans le Danube.

Der Rathausgiebel in Ulm zeigt eine astronomische Uhr, um 1580 in Straßburg geschaffen.

The Rathausgable of Ulm incorporates an astronomical clock made in Strasbourg in 1580.

Le pignon de l'hôtel de ville d'Ulm est orné d'une horloge astronomique, créée vers 1580 à Strasbourg.

Im Ulmer Stadtteil Wiblingen war der Abt bis zur Aufhebung des Benediktinerklosters auch weltlicher Herr. In der Barockzeit wurden allenthalben Kirchen und Konventsgebäude geschaffen. Der prunkvolle zweigeschossige Bibliothekssaal in Wiblingen zeigt reiche Stuckarbeiten und allegorische Darstellungen.

In Wiblingen, now part of Ulm, the abbot was the temporal as well as the spiritual ruler until the Benedictine monastery was abolished. In the Baroque era, churches and monastery buildings were built everywhere. The magnificent two-storey library reading room in Wiblingen incorporates rich stucco work and allegorical imagery.

A l'époque du baroque, des églises et des couvents furent construits de toutes parts. A Wiblingen, quartier de la ville d'Ulm, le supérier était aussi seigneur séculier jusqu'à la fermeture du monastère de bénédictins. La somptueuse salle de bibliothèque à deux étages est décorée de stucs très travaillés et de figures allégoriques.

Vor dem Massiv der Schwäbischen Alb erhebt sich bei Hechingen die Burg Hohenzollern, Stammsitz des Hauses Hohenzollern.

Hohenzollern Castle, the original seat of the royal house of the same name, stands out proud near Hechingen against the Swabian Alb massif.

Château fort des Hohenzollern: ce berceau de la dynastie s'élève près de Hechingen devant le massif du Jura Souabe.

Donautal, Schwäbische Alb und
Albvorland

Danube Valley, the Swabian Alb and
the Alb foothills

La vallée du Danube, le Jura souabe et les
contreforts du Jura

Die Mönche des Benediktinerklosters Zwiefalten schufen mit ihrem Münster von 1739 bis 1765 einen bedeutenden Bau des süddeutschen Spätbarock.

The monks of the Benedictine abbey in Zwiefalten built their minster between 1739 and 1765. It is one of the most important buildings in the South German late Baroque style.

Les moines de Zwiefalten, monastère de Bénédictins, créèrent avec leur cathédrale entre 1739 et 1765 l'un des édifices les plus importants du baroque tardif en Allemagne du sud.

Der Hochaltar des Benediktinerklosters Blaubeuren ist ein Meisterwerk der Spätgotik.

The high altar of the former Benedictine abbey of Blaubeuren is a masterpiece of the late Gothic period.

Le maître-autel de Blaubeuren, ancien couvent de Bénédictins, est un chef d'œuvre du gothique flamboyant.

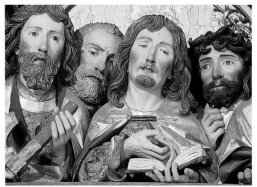

Vor Ulm schwingt die schräg gestellte Gebirgsscholle der Schwäbischen Alb in weiten Wellen aus. Wendet man sich nach Südwesten und folgt dem Lauf der Donau in Richtung Quelle, so erreicht man über Riedlingen Sigmaringen, wo ein Schloß über dem Fluß den fürstlichen Anspruch der schwäbischen Hohenzollern betont. Rund 50 Kilometer entfernt erhebt sich dominant vor der Steilkante der Schwäbischen Alb fast 900 Meter hoch der namengebende Hohenzollern, dessen Burg im 19. Jahrhundert von dem Berliner Zweig des Geschlechts wieder auf- und ausgebaut worden ist. Hinter Sigmaringen hat sich in fernen erdgeschichtlichen Zeiten die Donau durch die Schichten des Juragebirges geschnitten und einen malerischen, felsenbekrönten Weg ge-

To that side of Ulm the hilly soil of the Swabian Alb stretches out in wide, undulating waves. If you head south-west and follow the Danube upstream, you will pass through Riedlingen toward Sigmaringen, where a castle overlooking the river underscores the Swabian Hohenzollern family's claim to princely fame. About 50 kilometres further on, the Hohenzollern, from which the family takes its name, towers almost 900 metres over the steep edge of the Swabian Alb. Hohenzollern Castle was rebuilt and enlarged in the nineteenth century by the Berlin branch of the family. Beyond Sigmaringen, in the distant geological past, the Danube cut its way through strata of Jurassic mountain to flow along a picturesque riverbed crowned with rocky

Les plissements de terrains du Jura souabe achèvent leurs ondulations devant Ulm. Si on se tourne vers le sud-ouest et qu'on remonte le cours du Danube vers sa source, on atteint après Riedlingen Sigmaringen, dont le château dominant le fleuve souligne les aspirations princières des Hohenzollern souabes. A quelques 50 kilomètres de là, devant l'escarpement du Jura souabe et à 900 mètres d'altitude, se dresse majestueusement le château-fort portant le nom des Hollenzollern, et reconstruit et aménagé au XIXe siècle par la branche berlinoise de cette dynastie. Après Sigmaringen, le Danube a creusé son lit à travers les couches du massif du Jura en des temps éloignés lors de la formation des sols et s'est ainsi frayé un chemin pittoresque entre deux falaises de rochers. Le couvent Beuron accueille depuis 1862 de nouveau des moines. Au bout de la vallée Engtal est situé Tuttlingen, un centre affairé de technique médicale produisant de nombreux appareils médicaux, de l'aiguille d'une seringue aux endoscopes.

120

Im Engtal der Donau liegt die Erzabtei Beuron, das größte Männerkloster im Lande.

The archdiocesan abbey of Beuron in the narrow Danube valley is the largest monastery in the state.

L'abbaye de Beuron, le monastère pour hommes le plus grand du pays, est située dans la vallée étroite du Danube.

In der jungen Donau spiegelt sich Schloß Sigmaringen, Sitz der schwäbischen Hohenzollern.

Sigmaringen Castle, seat of the Swabian Hohenzollerns, is here reflected in the River Danube.

Le château de Sigmaringen, résidence principale des Hohenzollern de Souabe, se reflète dans le jeune Danube.

Le Ried, secteur marécageux du Danube gorgé d'eau s'étend d'Ulm en direction du nord-est, puis vient le Jura oriental, un haut plateau au sol pauvre, souvent boisé. Dans les cavernes de la vallée Lonetal qui est plutôt plate, des scientifiques ont trouvé de petites statuettes représentant des animaux, formées dans des défenses de mammouths. Elles ont 30 000 ans d'âge et sont ainsi les objets d'art les plus anciens de l'humanité. Tout près de la frontière avec la Bavière, et sur une hauteur nous surprend la masse carrée du couvent Neresheim, dont l'église du début de l'époque du classicisme a été dessinée par Balthasar Neumann. La production mondiale des animaux en peluche de la marque Steiff se fait à Giengen sur la Brenz, et nous ne nommerons dans la ville industrielle de Heidenheim que la société Voith, de réputation mondiale pour ses machines à fabriquer le papier et pour la technique de transmission. Plus au nord de cette zone industrielle, l'industriel de l'optique Zeiss s'est installé à Oberkochen après la guerre, tandis que près

schaffen. Das Kloster Beuron ist seit 1862 wieder von Mönchen besiedelt. Am Ende des Engtals liegt das geschäftige Tuttlingen, ein Zentrum medizintechnischer Produktion von der Nadel bis hin zu Endoskopen.

Von Ulm aus nach Nordosten erstrecken sich das wasserreiche Donauried und die Ostalb, eine karge, vielfach mit Wald bestandene Hochfläche. In den Höhlen des eher flachen Lonetals haben Wissenschaftler kleine Tierplastiken aus dem Elfenbein des Mammuts gefunden, mit ihren 30 000 Jahren die ältesten Kunstwerke der Menschheit. Schon nahe der Grenze zu Bayern thront auf einer Erhöhung das Geviert des Klosters Neresheim, dessen schon klassizistisch ausgestattete Kirche Balthasar Neumann entworfen hat. In

crags. Beuron Monastery has housed monks again for since 1862, while bustling Tuttlingen at the end of the Engtal valley is a centre of medical technology where products ranging from surgical needles to endoscopes are manufactured.

North-east of Ulm comes first the Donauried region, which is rich in water, and then the Ostalb, a bleak, high-lying area, much of it wooded. In caves in the flattish Lonetal valley, scientists have discovered small animal statuettes made of mammoth ivory, 30,000 years old and the oldest works of art fashioned by human hands. On a hill near the border with Bavaria the cross-shaped Neresheim monastery building comes as something of a surprise, its classical church designed by Balthasar

Kloster Neresheim auf der Ostalb ist ein barockes Ge-samtkunstwerk. Nach Plänen des genialen Baumeisters Balthasar Neumann wurde von 1747 bis 1792 die Abtei-kirche erbaut.

Neresheim Abbey on the Ostalb is a Baroque synthesis of the arts. The abbey church was built between 1747 and 1792 to plans drawn up by the brilliant architect Balthasar Neumann.

L'abbaye de Neresheim à l'est du Jura Souabe est une œuvre d'art baroque complète. L'église fut construite entre 1747 et 1792 d'après les plans de Balthasar Neu-mann, un maître d'œuvre de génie.

Giengen an der Brenz werden bei Steiff die schönsten Stofftiere mit Sammlereffekt für alle Erdteile her-gestellt. Stellvertretend für den in-dustriellen Schwerpunkt Heiden-heim sei nur Voith genannt, eine Weltfirma für Papiermaschinen und Antriebstechnik. Weiter nörd-lich in dieser Industrieregion hat sich nach dem Krieg in Ober-kochen Zeiss-Optik angesiedelt, während bei Aalen zwar kein Erz mehr gebrochen wird, aber noch die Schwäbischen Hüttenwerke zu finden sind.

Neumann. In Giengen an der Brenz, Steiff manufactures plush toy animals which are loved by collectors and exports them all over the world, while in industrial Heidenheim Voith for one is a firm of world renown that specialises in papermaking machinery and mo-tive-power engineering. Further north, in Oberkochen, Zeiss-Optik set up in business after World War II, while in Aalen ore may no longer be mined, but a steelworks, Schwäbische Hüttenwerke, is still in business.

d'Aalen on n'extrait plus de mine-rai, mais, les «Schwäbischen Hüt-tenwerke», les usines sidérurgiques souabes, sont encore en activité.

Sur le plateau de Baar, la Forêt-Noire et le Jura souabe se rencon-trent presque, comme disent les géologues, ensuite l'escarpement du massif jusqu'à 300 mètres d'alti-tude semble se tourner vers le nord-est et est entaillé de nom-breux cours d'eau. Le haut plateau, d'une largeur qui va jusqu'à 40 ki-lomètres, est une contrée de champs et de prairies exploités de-

Der Marktplatz der ehemaligen freien Reichsstadt Aalen mit Bürgerhäusern und Altem Rathaus. Auf der Brunnensäule steht Kaiser Joseph I., der der Stadt ihre „Freiheiten" bestätigte.

The market square of Aalen, lined by town houses and the Altes Rathaus. The fountain incorporates a statue of

Holy Roman Emperor Joseph I, who reaffirmed the city's "freedom."

La place du marché d'Aalen, ancienne ville libre d'empire, avec ses maisons bourgeoises et son vieil hôtel de ville. L'empereur Joseph 1er, qui a ratifié les « libertés » de la ville, a sa statue sur la colonne de la fontaine.

Auf der Baar kommen sich Schwarzwald und Schwäbische Alb oder Schwäbischer Jura, wie die Geologen sagen, ziemlich nahe. Dann strebt die bis zu 300 Meter hohe Steilkante des Gebirges nach Nordosten, vielfach von Wasserläufen durchschnitten. Die breite Hochfläche ist ein altbesiedeltes Bauern- und Schäferland. Im Haupt- und Landgestüt Marbach im Tal der Großen Lauter werden seit mehr als 500 Jahren Pferde gezüchtet, Schwarzwälder und Württemberger, Trakehner und silbrigweiße Araber. Am Fuß der Alb reihen sich Industriestandorte aneinander, die meist einen historischen Stadtkern vorzuweisen haben: Balingen und Albstadt – Waagen- und Trikotagenproduktion –, die einstige Reichsstadt Reutlingen mit ihrer hochgotischen Marienkirche – Maschinenbau und Drahtwebereien –, Bad Urach mit der spätmittelalterlichen Residenz des württembergischen Grafen Eberhard im Bart, die alte Marktstadt Kirchheim unter der Teck, Geislingen an der Steige – die Firma WMF (Württembergische Metallwarenfabrik) produziert hier Bestecke, Geschirr und Kaffeemaschinen – bis zur Gold- und Silberstadt Schwäbisch Gmünd. Im Vorfeld erhebt sich bei Göppingen – hier werden die Märklin-Spielzeugeisenbahnen entworfen und gebaut – der Kegelberg des Hohenstaufen (684 m), der einem

Up on the Baar plateau the Black Forest and the Swabian Alb or Swabian Jura, as the geologists call it, are near neighbours until the ridge up to 300 metres tall veers north-east and is crisscrossed by waterways. The plateau, up to 40 kilometres across, is long-established farmland and pasture. For over 500 years horses have been bred at the Marbach stud farm in the Grosse Lauter valley. They include Schwarzwälder, Württemberger, Trakehner and silver-white Arab steeds. At the foot of the Alb, industrial towns follow each other in swift succession, usually including a historic town centre. There are Balingen and Albstadt, where scales and knitwear are manufactured, the former imperial city of Reutlingen with its late Gothic Marienkirche (and its

puis fort longtemps. Dans la vallée de Großen Lauter, le haras de Marbach élève depuis plus de 500 ans des chevaux, qu'ils soient de la race de la Forêt-Noire, du Wurtemberg, de Trakehnen ou de la race arabe blanche argentée. Au pied du Jura s'alignent les lieux d'implantation industrielle, qui ont la plupart du temps un vieux centre historique: Balingen et Albstadt – production de balances et tricots –, l'ancienne ville impériale Reutlingen avec son église Marienkirche de style gothique – construction mécanique et ateliers de tissage de fils métalliques –, Bad Urach avec la résidence du comte wurtembergeois Eberhard im Bart, dit le Barbu, construite dans le style du Moyen-Age tardif, la vieille ville-marché Kirchheim unter der Teck, Geislingen an der Steige –

bedeutenden Geschlecht mittelalterlicher Herzöge, Könige und Kaiser den Namen gegeben hat.

Das Albvorland reicht bis zum Neckar mit der guterhaltenen Reichsstadt Rottweil, die schon in römischer Zeit eine wichtige Siedlung war, mit Rottenburg, wo seit Anfang des 19. Jahrhunderts der katholische Bischof für Württemberg seinen Sitz hat, und mit Tübingen, wo seit 1477 die württembergische Landesuniversität besteht. Ihr Gründer Graf Eberhard im Bart hat ihr zum Ziel gesetzt, den „ewigen Brunnen des Lebens" zu graben. Das tut zur Zeit ein Viertel der 80 000 Einwohner. Nördlich der Stadt dehnt sich der Schönbuch aus, ein waldreicher Naturpark mit einer Hirsch-Kolonie und dem Zisterzienserkloster Bebenhausen. Es folgt die dichtbesiedelte Hoch-

mechanical engineering and wire-weaving mill), Bad Urach and the late mediaeval palace of Count Eberhard im Bart of Württemberg, the old market town of Kirchheim unter der Teck, Geislingen an der Steige, where WMF, short for Württembergische Metallwarenfabrik, manufactures cutlery, tableware and coffee machines, and the gold and silver town of Schwäbisch Gmünd. Not far away, near Göppingen, the home of Märklin model railways and more, is the freestanding cone-shaped Hohenstaufen, 684 metres high, that gave its name to an important family of mediaeval dukes, kings and emperors.

The Albvorland extends to the Neckar and the well-preserved old imperial city of Rottweil that was an important settlement even in

WMF, Württembergische Metallwarenfabrik, produit ici des couverts, de la vaisselle et des machines à café –, jusqu'à la ville des orfèvres Schwäbisch Gmünd. Au préalable se dresse près de Göppingen (où – entre autres – les chemins de fer miniatures de la marque Märklin sont produits) le mont en cône et isolé du Hohenstaufen 684 mètres, qui a donné son nom à une des dynasties les plus importantes de ducs, rois et empereurs du Moyen-Age.

Les contreforts du Jura vont jusqu'au Neckar et on y rencontre la ville impériale bien conservée de Rottweil, qui déjà à l'époque romaine était une colonie importante, celle de Rottenburg, où l'évêque catholique du Wurtemberg a son siège depuis le début du XIXe siècle, et enfin celle de Tübingen qui abrite depuis 1477 l'université régionale wurtembergeoise. Son fondateur Eberhard im Bart lui a donné comme mission de creuser «l'éternelle fontaine de la vie». Ce que font de nos jours un quart de ses 80 000 habitants. Au nord de la ville commence le

Vom Kochertal zieht sich die Reichsstadt Schwäbisch Hall den Hang hinauf. Sorgfältig restaurierte Fachwerkhäuser prägen das Bild der Altstadt.

In the Kocher valley the Imperial city of Schwäbisch Hall extends up the hillside. Painstakingly restored half-timbered houses are the hallmark of the Altstadt.

Schwäbisch Hall, ville d'Empire, s'étage au flanc de la vallée de la Kocher. Les maisons à colombage soigneusement restaurées donnent leur empreinte à l'image du centre historique de la ville.

Einige einfache Fachwerkhäuser in der Altstadt von Rottenburg am Neckar.

Here a few simple half-timbered buildings in the Altstadt of Rottenburg am Neckar.

Quelques maisons à colombage simples dans le centre historique de Rottenburg sur le Neckar.

Schönbuch, un parc naturel boisé peuplé d'un troupeau de cerfs, non loin duquel se situe le couvent cistercien de Bebenhausen. Leur succède le haut plateau de la Filder très peuplé, sur lequel près de Echterdingen le plus grand aéroport de la région ne cesse de s'agrandir.

fläche der Filder, auf der bei Echterdingen der größte Flughafen des Landes unablässig ausgebaut wird.

Roman days, to Rottenburg, from where the Catholic bishop of Württemberg has controlled his see since the early nineteenth century, and to Tübingen, where Württemberg has boasted a university since 1477. Its founder, Count Eberhard im Bart, instructed it to dig for the "eternal spring of life." One in four of the city's 80,000 inhabitants are currently engaged in doing precisely that. North of Tübingen lies the Schönbuch nature park with its woodland, herd of deer and the Cistercian monastery of Bebenhausen. Then comes the densely populated Filder plateau, where the state's largest airport, near Echterdingen, is constantly undergoing extension.

In fernen erdgeschichtlichen Zeiten hat die junge Donau zwischen Tuttlingen und Sigmaringen die Gebirgsscholle der Schwäbischen Alb in weiten Schleifen durchsägt, wie hier unterhalb von Burg Wildenstein. Dabei ergibt sich immer wieder ein ähnliches Landschaftsbild: eine schmale, mit Wiesen bestandene Talsohle, an den Hängen Buchenwälder und an der oberen Talkante hellgraue Jurafelsen.

In distant geological days the young Danube dug a bed of broad and sweeping bends into the hill country of the Swabian Alb between Tuttlingen and Sigmaringen, as here seen below Wildenstein Castle. Repeatedly the view is much the same: a narrow valley bed lined with meadows, beech woods on the hillsides and light grey Jurassic rock lining the upper perimeter of the valley.

A une époque géologique reculée, le jeune Danube a creusé entre Tuttlingen et Sigmaringen de larges méandres dans les couches du Jura Souabe, comme ici au-dessous du château fort de Wildenstein. Ceci a forgé un paysage typique: une vallée étroite dont le fond est couvert de prés, des versants couverts eux de forêts d'hêtres et couronnés par des rochers jurassiques gris clairs.

Die württembergische Universitätsstadt Tübingen zeigt sich mit der Neckarfront von ihrer schönsten Seite. Links der Hölderlinturm, ein ehemaliger Stadtturm. Hier lebte der schwermütig gewordene Dichter Friedrich Hölderlin fast vier Jahrzehnte bei einer Pflegefamilie.

The Württemberg university town of Tübingen is seen at its best from the banks of the Neckar. On the left is the Hölderlinturm, formerly part of the city walls. The poet Friedrich Hölderlin lived here in care with a family for nearly 40 years in a state of clinical depression.

La ville universitaire du Wurtemberg Tübingen se montre sous sa meilleure perspective avec sa façade sur le Neckar. A gauche la tour Hölderlin, une ancienne tour de ville. Ici a vécu le poète Friedrich Hölderlin près de quarante ans dans une famille pour l'aider à soigner sa mélancolie.

Friedrich Schiller blickt in seiner Geburtsstadt Marbach am Neckar unentwegt auf das Schiller-Nationalmuseum, das heute das Deutsche Literaturarchiv beherbergt.

In his native Marbach am Neckar, the German poet and playwright Friedrich Schiller gazes unerringly at the Schiller-Nationalmuseum, which houses the Deutsches Literaturarchiv.

Dans sa ville natale de Marbach sur le Neckar, Friedrich Schiller a le regard constamment tourné vers le Musée national qui lui est consacré et qui accueille les archives de la littérature allemande.

Rund um und in Stuttgart

Around and in Stuttgart

Les alentours de et à Stuttgart

Hermann Hesse wurde 1877 in Calw im württembergischen Schwarzwald geboren. Das Stadtbild ist noch weitgehend von stattlichen Fachwerkhäusern geprägt, wie hier am Marktplatz.

The writer Hermann Hesse was born 1877 in Calw in the Württemberg Black Forest. His childhood memories includes these magnificent town houses on the market square.

L'image de la ville de Calw, la ville natale d'Hermann Hesse, dans la Forêt-Noire wurtembergeoise est encore principalement marquée par d'imposantes maisons à colombage.

Westlich von diesen Naturräumen erstreckt sich bis zum Rand des Schwarzwalds, der etwa in Calw, in Hermann Hesses Geburtsstadt, erreicht ist, eine Muschelkalkfläche, das Gäu, herkömmlich bestes Bauernland. Dagegen bilden Herrenberg und vor allem die Nachbarstädte Böblingen und Sindelfingen einen industriellen Schwerpunkt, wofür nur die Firmennamen IBM und DaimlerChrysler stehen mögen. Sindelfingen hat bei rund 40 000 Einwohnern fast ebenso viele Arbeitsplätze zu bieten.

West of this area and to the edge of the Black Forest, which starts roughly in Calw, where the writer Hermann Hesse was born, is a muschelkalk region known as the Gäu that is fine farming country. But Herrenberg and, above all, neighbouring Böblingen and Sindelfingen make up an industrial centre the size and significance of which is indicated by major employers IBM and DaimlerChrysler. Sindelfingen, with a population of about 40,000, is the home of almost the same number of jobs.

A l'ouest de ces paysages naturels s'étend jusqu'à la lisière de la Forêt-Noire, soit à peu près à Calw, la ville natale d'Hermann Hesse, le Gäu, un terrain calcaire coquillier qui est depuis toujours une très bonne terre fertile. Pourtant Herrenberg et surtout les villes voisines de Böblingen et Sindelfingen forment un centre industriel représenté par des sociétés telles que IBM et DaimlerChrysler. Sindelfingen offre presque autant d'emplois qu'elle a d'habitants: 40 000.

Le Neckar, l'aéroport, le réseau

Der Marktplatz in Esslingen am Neckar. Verputzte und unverputzte Fachwerkhäuser begrenzen den Raum. Im Hintergrund der Turm der Frauenkirche.

The market square in Esslingen am Neckar, which is lined by decorated and undecorated half-timbered houses, with the tower of the Frauenkirche in the background.

La place du marché d'Esslingen sur le Neckar. Des maisons à colombage en partie crépies délimitent l'espace. En arrière-plan la tour de l'église Notre-Dame, de style gothique rayonnant.

Der Neckar, der Flughafen, das Eisenbahnnetz und der Verlauf der Autobahnen aus allen vier Himmelsrichtungen, all dies zielt auf den Mittelpunkt des Bundeslandes, auf die Landeshauptstadt Stuttgart mit ihren annähernd 600 000 Einwohnern. Nimmt man aber das Umland dazu, das mit Stuttgart eine wirtschaftliche Einheit bildet, so ergibt sich ein Ballungsraum mit gut und gerne 2,5 Millionen Menschen. Zu diesem Umland zählen zum Beispiel das industriestarke Esslingen, an dessen Hängen die

The River Neckar, the airport, the railway network and autobahns from all four points of the compass converge on the focal point of the state, the powerhouse of Stuttgart, the state capital with its population of nearly 600,000. Stuttgart and its environs, which form an economic unit, form a conurbation with a population in excess of 2.5 million. It includes, for instance, industrial Esslingen with its hillside vineyards and its Altstadt that calls to mind memories of what once was an indepen-

de chemin de fer et les autoroutes venant de toutes directions, tout converge vers le centre de ce Land, vers Stuttgart, sa capitale forte de près de 600 000 habitants, où se concentre la puissance économique du Land. Si on y ajoute sa périphérie, qui forme avec elle une unité économique, on obtient une région à forte concentration urbaine avec plus de 2,5 millions d'habitants. Sont comprises dans cette périphérie par exemple la ville riche en industries d'Esslingen – sur ses coteaux pousse la vigne, et

133

Schloß Kaltenstein in Vaihingen an der Enz (oben). Der Marktplatz von Schorndorf im Remstal wird vom Rathaus abgeschlossen (links). Marbach am Neckar hat seinen historischen Kern bewahrt (rechts).

Kaltenstein Castle in Vaihingen an der Enz (above). The Rathaus marks the end of the elongated market square in Schorndorf in the Rems valley (left). Marbach am Neckar has retained its historic core (right).

Le château de Kaltenstein à Vaihingen sur la Enz (en haut). La place du marché de Schorndorf dans la vallée de Remstal bordée par son hôtel de ville (à gauche). Marbach sur le Neckar a conservé son centre historique (à droite).

Zwischen Rottweil und Rottenburg ist das Tal des oberen Neckars eng und tief eingeschnitten. Die Kleinstadt Sulz verdankt Namen und Existenz einstmals reich fließenden Salzquellen.

From Rottweil to Rottenburg the valley of the Upper Neckar is narrow and deep. The small town of Sulz owes its name and existence to what once were amply flowing saline springs.

Entre Rottweil et Rottenburg, la vallée du Neckar supérieur est encaissée étroitement et profondément dans la roche. La petite ville de Sulz doit son nom et son existence à de riches sources de sel qui autrefois coulaient d'abondance.

Seit 1704 wurde am Ludwigsburger Schloß, der Residenz der Herzöge und Könige von Württemberg, gebaut. Hier ein prunkvoller Innenraum mit Gobelins und erlesenem Mobiliar.

Work began on Ludwigsburg Castle, the palace of the dukes and kings of Württemberg, in 1704. This showpiece interior features Gobelins and fine furniture.

Le château de Ludwigsburg, résidence des ducs et rois de Wurtemberg, fut entrepris en 1704. Ici une pièce d'apparat avec des Gobelins et du mobilier de choix.

Schloß Favorite, ein elegantes Bauwerk aus der Frühzeit der Ludwigsburger Residenz.

Schloss Favorite, an elegant building dating back to the early days of the Ludwigsburg palace.

Le château de Favorite, un élégant édifice construit au début de la création de la résidence de Ludwigsburg.

Rebe gedeiht und das in der Altstadt das Bild einer ehemals selbständigen Republik bewahrt hat, und Ludwigsburg, die barocke Residenz der Herzöge und Könige von Württemberg und heute moderne Einkaufs- und Festspielstadt.

Von der Aussichtsplattform des schlanken Fernsehturms (217 m) des Südwestrundfunks, der Vorbild für viele Türme dieser Art in aller Welt geworden ist, hat man den besten Blick auf Stuttgart, das in einem Talkessel liegt, der sich zum Neckar hin öffnet. Hänge und Talsohle sind mit Straßenzügen überzogen, die Einkaufsmeile Königstraße verläuft in Richtung Hauptbahnhof mit seinem wuchtigen Turm. Parallel zu ihr Stiftskirche, Altes und Neues Schloß, wo das grüne Band der Parkanlagen beginnt, das am Neckar bei der Wil-

dent republic, and Ludwigsburg, the Baroque palace of the dukes and kings of Württemberg, with what is now a major shopping centre and festival venue.

The viewing platform of the slender, 217-metre Südwestrundfunk TV tower, which has been emulated by many more of its kind all over the world, affords the best view of Stuttgart, which is enclosed in a valley that opens up toward the Neckar. Hillsides and valley are criss-crossed by roads. Königstrasse, Stuttgart's main shopping street, runs toward the main railway station with its massive tower. Parallel to it are the Stiftskirche and the Altes and Neues Schloss, where the green stretch of parks and greenery begins, ending at the Wilhelma, Stuttgart's zoo, on the bank of the Neckar. Factory

qui a conservé dans son vieux centre l'image de la république indépendante qu'elle était autrefois – et la ville de Ludwigsburg, ancienne résidence de style baroque des ducs et rois du Wurtemberg et aujourd'hui ville de festivals et ville commerçante.

On a la plus belle vue sur Stuttgart depuis la plate-forme de la svelte tour de télévision (217 mètres) de la Südwestrundfunk, tour qui a servi de modèle à beaucoup d'autres tours de ce genre dans le monde entier. Stuttgart est implantée dans une cuvette de magnésie, qui s'ouvre sur le Neckar. Les versants et le fond de la vallée sont sillonnés de routes, la grande rue commerçante de la ville, la Königstraße, mène à la gare centrale avec sa tour massive. Parallèlement à son axe se dresse la Stiftskirche collégiale, le Vieux et le Nouveau Châteaux, où commence le long ruban vert des parcs menant au bord du Neckar, près du Wilhelma, le jardin zoologique. Les usines se trouvent principalement dans les quartiers extérieurs. Stuttgart est aussi une ville des muses, propo-

Neben der altehrwürdigen Staatsgalerie in Stuttgart baute James Stirling 1984 die neue Staatsgalerie, deren Eingangshalle schwungvoll verglast ist.

Alongside the time-honoured Staatsgalerie in Stuttgart James Stirling built in 1984 the new Staatsgalerie with its boldly glass-clad entrance hall.

James Stirling construisit en 1984 à côté de la vénérable Staatsgalerie de Stuttgart la Nouvelle Galerie Nationale avec un hall d'entrée vitré aux lignes hardies.

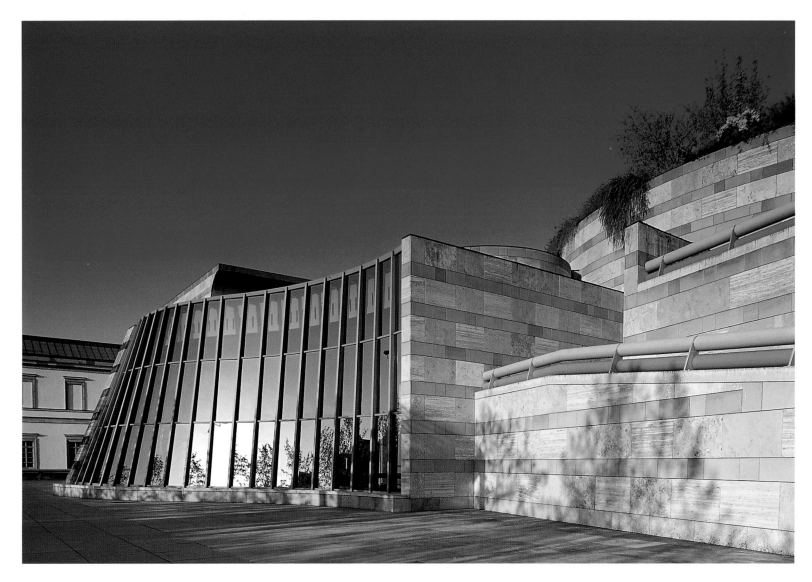

helma, dem Zoologischen Garten, endet. Die Fabriken sind vorwiegend in der Peripherie zu finden. Stuttgart ist aber auch eine Musenstadt mit Schauspiel, Oper und Ballett, das John Cranko zu Weltruhm geführt hat, mit Museen und Galerien und nicht zuletzt zahlreichen Verlagen.

buildings are mainly to be found in the suburbs. Stuttgart is also a city of the muses, with theatre, opera and ballet, which gained international repute under John Cranko, with museums and galleries and, last but not least, a large number of publishing houses.

sant théâtres, opéra et ballets classiques – rendus célèbres mondialement par John Cranko –, riche en musées et galeries, sans compter les nombreuses maisons d'édition.

Hoch zu Roß: Graf Eberhard im Bart vor dem Alten
Schloß in Stuttgart.

Altes Schloss in Stuttgart: The equestrian statue is that
of Count Eberhard.

Le comte Eberhard dit le Barbu à cheval devant le Vieux
Château de Stuttgart.

Zum Herzstück der Landeshauptstadt Stuttgart gehört
der Anlagensee des Oberen Schloßgartens.

The heart of Stuttgart, the state capital, includes the arti-
ficial lake in the Oberer Schlossgarten.

L'une des principales attractions de Stuttgart est le lac
aménagé dans la partie supérieure du parc du château.

Die Türme der Stuttgarter Stiftskirche, des Hauptgottes-
hauses der Evangelischen Landeskirche in Württemberg. Die Figur des Merkurs weist in Richtung Altes
Schloß.

The towers of Stuttgart's collegiate church, the Stiftskirche, the principal Protestant church in Württemberg. The figure of Mercury points toward the Altes
Schloss.

Les tours de la collégiale de Stuttgart, principal lieu de
culte de L'Eglise protestante du Wurtemberg. La
statuette de Mercure montre la direction du Vieux
Château.

Seit Herzog Eberhard Ludwig von Württemberg 1704 damit begann, ist gut hundert Jahre lang am Schloßkomplex und an den Parkanlagen in Ludwigsburg gebaut worden. Die Residenz der Herzöge und Könige von Württemberg ist heute als Museum und als „Blühendes Barock" für jedermann zugänglich.

Work on the castle and grounds in Ludwigsburg went on for well over a century after it was commissioned by Duke Eberhard Ludwig of Württemberg in 1704. Today, the palace of the dukes and kings of Württemberg is a museum open to the public with its "Baroque in bloom."

Entrepris en 1704 par le duc Eberhard Louis de Wurtemberg, la construction de l'ensemble du château et les travaux dans le parc ont duré une bonne centaine d'années. La résidence des ducs et rois du Wurtemberg est maintenant un musée ouvert au grand public avec ses floralies «Baroque en fleurs».

In Bad Wimpfen errichteten die Staufer ab 1200 hoch über dem Neckartal ihre größte Pfalz, den königlichen Herrschaftssitz – nicht ohne kunstvolle Ausblicke.

In Bad Wimpfen the Staufen dynasty built from 1200 its largest fortress and royal residence overlooking the Neckar Valley with some elaborately arranged views.

Les Hohenstaufen ont entrepris en 1200 à Bad Wimpfen leur résidence royale qui est aussi leur plus grand palais: elle offre des coups d'œil merveilleux sur le Neckar et les alentours.

Vom Neckar an die Tauber

From the Neckar to the Tauber

Du Neckar à la Tauber

Schloß Liebenstein oberhalb von Neckarwestheim zeigt verschiedene Stufen einer Burg: rechts ein mittelalterlicher Bergfried, links die Schloßkapelle aus der Zeit um 1600.

Schloss Liebenstein overlooking Neckarwestheim features several stages of castle development, including the mediaeval keep on the right and the chapel, built in about 1600, on the left.

Le château Liebenstein au-dessus de Neckarwestheim allie différentes époques de construction: à droite un donjon du Moyen-Age, à gauche la chapelle édifiée vers 1600.

Nach Norden weist wieder der Neckar den Weg, der von Plochingen oberhalb von Stuttgart bis Mannheim durch Staustufen kanalisiert ist. Linker Hand erkennt man das waldreiche Band des Strombergs, an dessen westlichem Ausläufer Maulbronn zu ahnen ist, das Zisterzienserkloster, besser eine Klosterstadt, die von der UNESCO zum Weltkulturerbe gezählt wird. Rechter Hand erheben sich über den mit Reben bestandenen Ufern Hügelketten, die nach Osten streben: der Fränkisch-Schwäbische

To the north it is the Neckar that leads the way once more. From Plochingen, east of Stuttgart, to Mannheim it is canalised, with locks and a number of levels. To the west you will see the woodland of the Stromberg, with Maulbronn barely visible to its west. Maulbronn is a Cistercian monastery or, more accurately, a monastery town, that has been designated by Unesco as a world cultural heritage site. To the east, with vines lining the hillsides, a string of hills heads east. It is the

Le Neckar se dirige alors vers le nord, étant canalisé à l'aide de barrages en paliers de Plochingen au-dessus de Stuttgart jusqu'à Mannheim. A main gauche, on reconnaît la masse couverte de forêts du Stromberg et sur ses contreforts ouest vaguement les contours de Maulbronn, le cloître des cisterciens, ou plutôt une véritable ville monastique, que l'UNESCO a classée au patrimoine mondial de la culture. A main droite, au-dessus des rives couvertes de vignes, s'élève une chaîne de collines qui

Das Rathaus der einstigen Reichsstadt Heilbronn zeigt an der Front zum Marktplatz hin eine Kunstuhr, um 1590 in Straßburg gefertigt, die auch die Mondphasen angibt.

The market square frontage of the Rathaus in the city of Heilbronn features an elaborate clock, made in Strasbourg in about 1590, that shows both the time and the phases of the Moon.

Sur la façade, côté marché, de l'hôtel de ville d'Heilbronn, ancienne ville d'Empire, une horloge d'art fabriquée vers 1590 à Strasbourg.

Wald. Die weite Bucht, die gewaltige Rundung um die Großstadt Heilbronn, wird von Weinbergen beherrscht. Die Stadt selbst ist ein wichtiger Handels- und Gewerbestandort, der vom Hafen am Neckar und der verkehrsgünstigen Lage profitiert.

Östlich davon dehnt sich bis zur Grenze nach Bayern ein fruchtbares Bauernland, das von den Zwillingsflüssen Jagst und Kocher durchkerbt ist: Hohenlohe. Eine Gegend nicht ohne Industrie, wie der Schraubenkonzern Würth in

Franconian-Swabian Forest. The wide bend that the river takes around the city of Heilbronn is lined with vineyards. The city itself is an important centre of trade and industry that benefits from an inland port on the Neckar and a location that is favourable for transport.

Further east, fertile farmland extending to the border with Bavaria is criss-crossed by the twin rivers Jagst and Kocher. This is the Hohenlohe region. It too is not lacking in industry, as shown by

se dirige vers l'est: la forêt franconienne-souabe. La vallée élargie, l'énorme coude autour de la grande ville d'Heilbronn disparaissent complètement sous les vignes. La ville elle-même est une place commerciale et industrielle importante, grâce à son port au bord du Neckar et à ses bonnes voies de communications.

A l'Est s'étend jusqu'à la frontière bavaroise une contrée très fertile, entaillée par les deux rivières jumelles Jagst et Kocher: le Hohenlohe. Une région qui n'est pas sans

Hoch über der Jagst liegt das Städtchen Langenburg. Vor der eindrucksvollen Fassade ihres Schlosses pflegen die Fürsten von Hohenlohe einen barocken Garten.

The small town of Langenburg stands on a spur towering over the River Jagst. The princes of Hohenlohe keep up a Baroque garden in front of the impressive exterior of their castle.

La petite ville de Langenburg surplombe la Jagst. Les princes de Hohenlohe avaient aménagé des jardins baroques devant la façade impressionnante de leur château.

Der Torturm in Jagsthausen führt zum Schloß der Freiherren von Berlichingen.

This gatehouse, the Torturm in Jagsthausen, leads to the baronial castle of the Berlichingens.

La porte coiffée d'une tour à Jagsthausen mène au château des barons de Berlichingen.

Künzelsau beweist, eine Gegend nicht ohne Gewicht, wie Schwäbisch Hall belegt, ehemals eine wohlhabende Reichsstadt, in der aus Sole Salz gesotten wurde, heute Sitz der größten deutschen Bausparkasse. Daß diese Landschaft auch ein Adelsland ist, bezeugen die vielen Residenzen der Fürsten von Hohenlohe, wie Öhringen oder Langenburg.

Der Neckar strebt weiter nach Norden in Richtung Odenwald, wo er sich dem Rhein zuwendet. Er fließt vorbei an der Autostadt Neckarsulm, vorbei an der türmereichen Stauferstadt Bad Wimpfen, vorbei an dem ältesten Kernkraftwerk des Landes in Obrigheim – weitere finden wir in Neckarwestheim und in Philippsburg – und vorbei an der malerischen Amts- und Fachwerkstadt Mosbach. Das

Würth, who manufacture screws in Künzelsau. It is not unimportant in other respects either, as evidenced by Schwäbisch Hall, once a prosperous imperial city where salt was manufactured from brine, now the home of Germany's largest building society. The many palaces of the princes of Hohenlohe, such as Öhringen or Langenburg, also testify to the fact that this is a part of the country with its own nobility.

The Neckar flows further north toward the Odenwald, where it turns off toward the Rhine. It flows past Neckarsulm, a carmaking city, past Bad Wimpfen with its many towers and its imperial past, past the state's oldest nuclear power station in Obrigheim (the others are in Neckarwestheim and in Philippsburg) and past the pic-

industrie, ainsi que le prouve la présence à Künzelsau du groupe Würth fabriquant des vis, une région qui n'est pas sans importance non plus, ainsi que Schwäbisch Hall le montre, autrefois ville impériale prospère, dans laquelle on bouillait l'eau saline pour en extraire le sel, aujourd'hui siège de la caisse d'épargne-logement la plus importante d'Allemagne. Les nombreuses résidences des princes du Hohenlohe, telles Öhringen ou Langenburg, témoignent de la noblesse de cette terre.

Le Neckar poursuit son cours vers le nord en direction de l'Odenwald, où il se détourne vers le Rhin. Il passe Neckarsulm, ville de construction automobile, Bad Wimpfen, ville des Hohenstaufen riche en tours, Obrigheim, où est implantée la centrale nucléaire la plus ancienne du pays – ses sœurs se trouvant à Neckarwestheim et à Philippsburg – et enfin Mosbach, ville administrative aux maisons à colombage pittoresques. Le territoire entre le cours inférieur du Neckar et la Tauber s'appelle la Franconie badoise, dont une partie

Gebiet zwischen unterem Neckar und Tauber heißt Badisch Franken, in Teilen auch südlicher Odenwald und Bauland. Zum Heiligblut-Wunder in Walldürn pilgern sogar Gruppen zu Fuß aus dem Rheinland. Das leicht gewellte Hügelland mündet in den offenen und weiten Taubergrund. Dort liegt Tauberbischofsheim. Hinüber bis zur Frankenmetropole Würzburg ist es nicht mehr weit. Zuletzt verengt sich das Tal, bis die Tauber in dem hübschen Städtchen Wertheim in den Main fließt.

turesque half-timbered administrative town of Mosbach. The area between the Lower Neckar and the Tauber is known as Badisch Franken, or Baden Franconia, and includes the southern Odenwald and Bauland. Groups of pilgrims come on foot from as far away as the Rhineland to the Heiligblut-Wunder in Walldürn. The slightly undulating hill country ends in the open expanses of the Taubergrund, with Tauberbischofsheim as its focal point. From there it is not far to Würzburg in Franconia. The valley

est constituée par le sud de l'Odenwald et par le Bauland. Le mystère du saint sang à Walldürn attire des groupes de pèlerins venant à pied, parfois même de la Rhénanie. Ce pays légèrement mamelonné prend fin au Taubergrund, large vallée ouverte, avec en son centre Tauberbischofsheim. Würzburg, métropole de la Franconie, n'est plus bien loin. La vallée se rétrécit enfin, jusqu'à ce que la Tauber se jette dans le Main à hauteur de la jolie petite ville de Wertheim.

Imposant thront Burg Horneck über dem Städtchen Gundelsheim am Neckar.

Burg Horneck towers impressively over the small town of Gundelsheim on the Neckar.

L'impressionant château fort d'Hornbeck domine la petite ville Gundelsheim sur le Neckar.

Am Marktplatz von Mosbach ist das Palm'sche Haus ein Blickfang.

The Palm'sches Haus is an eye-catching sight on the market square of Mosbach.

La Palm'sche Haus, construite vers 1610, est un point de mire sur la place du marché de Mosbach.

Die landschaftlichen Schönheiten in dieser reichgegliederten Region, die sich vom Main bis an den Fuß der Alpen und vom Rhein bis an Tauber und Ries erstreckt, hat nach der Meinung vieler der Herrgott selbst bei der Erschaffung der Welt hervorgebracht und dabei sein Meisterstück geliefert: von allem etwas, und immer das Schönste. Das gilt für die Gebirge, die Flußläufe und nicht zuletzt für den Bodensee.

Zum guten Schluß sei das Urteil des Schlesiers Wolfgang Menzel zitiert, den es Mitte des 19. Jahrhunderts in die Buch- und Verlagsstadt Stuttgart gezogen hatte, die durch Johann Friedrich Cotta, den Verleger Schillers und Goethes, berühmt geworden war. „Schönes, glückliches Land an Bodensee und Neckar, zwischen Ries und Rhein,

finally narrows until the Tauber flows into the Main in the pretty little town of Wertheim.

The beautiful countryside in this rich pattern of land that runs from the River Main to the foothills of the Alps is felt by many people to have been a masterpiece wrought by God himself when he created the world, with a little of everything and always the finest. That is true of the mountains, the rivers and, last not least, Lake Constance.

Let us end with the opinion of Wolfgang Menzel, a Silesian who moved to Stuttgart, a city of books and publishing, in the mid-nineteenth century. Johann Friedrich Cotta, the publisher of Schiller and Goethe, made Stuttgart's name as a publishing centre. "Beautiful, fortunate land of Lake Constance and

Cette région, aux nombreux beaux paysages, qui s'étend du Main jusqu'aux pieds des Alpes, fut, d'un avis largement partagé, conçue par Dieu lui-même lors de la création du monde et il en fit son chef d'œuvre: un peu de tout et toujours ce qu'il y a de plus beau. Cela vaut pour les montagnes, les cours d'eau et notamment pour le lac de Constance.

Nous citerons en dernier lieu le jugement porté par le Silésien Wolfgang Menzel qui avait fait le choix au milieu du XIXe siècle de s'installer à Stuttgart, la ville du livre et des maisons d'éditions, devenue célèbre grâce à Johann Friedrich Cotta, l'éditeur de Schiller et de Goethe: «Beau et heureux pays en bordure du lac de Constance et du Neckar, entre la région de Ries et le Rhin, abondant en vignobles, maïs et vergers, avec ses vallées fraîches et verdoyantes pleines d'aimables villes et villages, le pays de l'ardeur silencieuse et pourtant vigoureuse en faveur de la science et de l'art et du bonheur des humains de toutes natures. Un pays intéressant où s'opposent le mon-

Im Mündungswinkel von Tauber und Main liegt Wertheim. Über der Altstadt erhebt sich eine mächtige Burg – im Kern eine Anlage aus der Stauferzeit.

Wertheim lies at the confluence of the Rivers Tauber and Main. A mighty castle that dates back essentially to the Staufen era towers over the Altstadt.

Wertheim est située à la jonction de la Tauber et du Main. Un énorme château fort, pour l'essentiel un complexe de l'époque des Hohenstaufen, domine le centre historique de la ville.

voll Reben, Mais, Obst, mit seinen frischen, grünen Tälern voll freundlicher Städte und Dörfer, das Land des stillen und doch kräftigen Wirkens für Wissenschaft und Kunst und Menschenglück jeder Art. Ein interessantes Land, wo im Gegensatz eine Vorwelt erstarrt und versteinert ist, die Mitwelt aber desto reicher, wärmer und lebendiger ist."

the Neckar, from the Ries to the Rhine, full of vines and maize and orchards, with its fresh, green valleys full of friendly towns and villages," he wrote, "land of quiet but vigorous activity for science and art and human happiness of every kind. An interesting land where the past has turned into stone but the present, in contrast, is all the richer, warmer and more full of life."

de ancestral figé et pétrifié et le monde contemporain d'autant plus riche, plus chaleureux et plus vivant.»

Wie andere Residenzen der Fürsten von Hohenlohe, etwa Langenburg oder Bartenstein, ist auch Kirchberg an der Jagst auf einer Landzunge angelegt. Hoch über der Jagst erscheint von der Stadtkirche bis zum Schloß eine Kleinstadt, die mit ihrem Ferkelmarkt typisch ist für das Bauernland Hohenlohe.

Like other palaces built by the princes of Hohenlohe such as Langenburg or Bartenstein, Kirchberg an der Jagst is built on a tongue of land. High up above the Jagst, from the Stadtkirche to the Schloss, Kirchberg with its pig market is a small town typical of the Hohenlohe farming country.

Kirchberg sur la Jagst est située sur une langue de terre, tout comme d'autres résidences du prince de Hohenlohe telles que Langenburg ou Bartenstein. Cette petite ville, de l'église au château, surplombe la Jagst, et avec son marché à porcelets elle est typique de la contrée agricole Hohenlohe.

# Karte

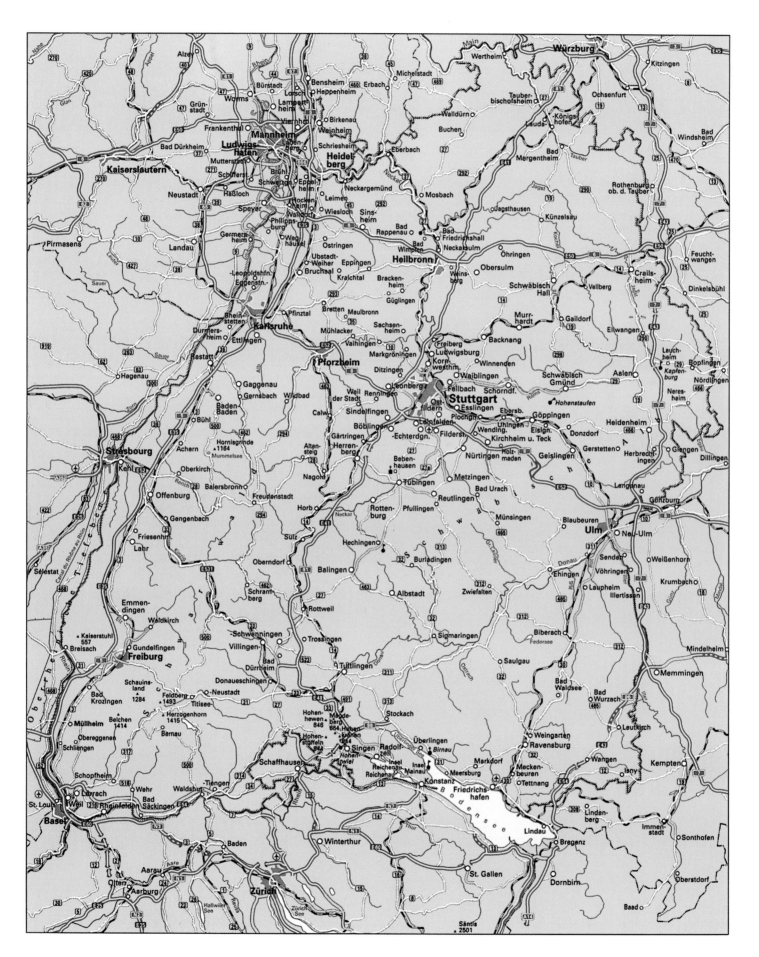